PEDAGOGIA PSICODRAMÁTICA

CIP-BRASIL. CATALOGAÇÃO NA PUBLICAÇÃO
SINDICATO NACIONAL DOS EDITORES DE LIVROS, RJ

P388

Pedagogia psicodramática : uma proposta de metodologia ativa de Maria Alicia Romaña / organização Maria Aparecida Fernandes Martin, Maisa Helena Altarugio ; Alcione Ribeiro Dias ... [et al.]. - 1. ed. - São Paulo : Ágora, 2022.
    200 p. ; 24 cm.

    Inclui bibliografia
    ISBN 978-85-7183-310-4

    1. Romaña, Maria Alicia, 1927-. 2. Psicodrama. 3. Teatro na educação. I. Martin, Maria Aparecida Fernandes. II. Altarugio, Maisa Helena. III. Dias, Alcione Ribeiro.

22-77316
CDD: 371.399
CDU: 37.091.33:792

Meri Gleice Rodrigues de Souza - Bibliotecária - CRB-7/6439

www.editoraagora.com.br

Compre em lugar de fotocopiar.
Cada real que você dá por um livro recompensa seus autores
e os convida a produzir mais sobre o tema;
incentiva seus editores a encomendar, traduzir e publicar
outras obras sobre o assunto;
e paga aos livreiros por estocar e levar até você livros
para a sua informação e o seu entretenimento.
Cada real que você dá pela fotocópia não autorizada de um livro
financia o crime
e ajuda a matar a produção intelectual de seu país.

PEDAGOGIA PSICODRAMÁTICA

Uma proposta de metodologia ativa
de Maria Alicia Romaña

ORGANIZADORAS
Maria Aparecida Fernandes Martin
Maisa Helena Altarugio

Alcione Ribeiro Dias
Camila Tyrrell Tavares
Cristiane Tavares Romano
Cristina Jorge Dias
Elisabeth L. Bez Chleba
Gisele da Silva Baraldi
Julio Cesar Valentim
Lúcio G. Ferracini
Maisa Helena Altarugio
Maria Aparecida Fernandes Martin
Marly Unello Rosinha
Neide Feijó
Norival Albergaria Cepeda
Sara de Sousa
Sônia da Cunha Urt

EDITORA
ÁGORA

PEDAGOGIA PSICODRAMÁTICA
Uma proposta de metodologia ativa de Maria Alicia Romaña
Copyright © 2022 by autores
Direitos desta edição reservados por Summus Editorial

Editora executiva: **Soraia Bini Cury**
Capa: **Alberto Mateus**
Foto da capa: **Valdir Peyceré**
Diagramação: **Crayon Editorial**

Editora Ágora

Departamento editorial
Rua Itapicuru, 613 – 7º andar
05006-000 – São Paulo – SP
Fone: (11) 3872-3322
http://www.editoraagora.com.br
e-mail: agora@editoraagora.com.br

Atendimento ao consumidor
Summus Editorial
Fone: (11) 3865-9890

Vendas por atacado
Fone: (11) 3873-8638
e-mail: vendas@summus.com.br

Impresso no Brasil

Sumário

Prefácio 7
Herialde Oliveira Silva

Apresentação 11
Maisa Helena Altarugio e Maria Aparecida Fernandes Martin

1. Breve olhar sobre os encontros de Moreno com a educação 15
Maria Aparecida Fernandes Martin

2. Maria Alicia Romaña e a pedagogia psicodramática 19
Maria Aparecida Fernandes Martin

3. A pedagogia psicodramática e as metodologias ativas 35
Maisa Helena Altarugio

4. O psicodrama pedagógico revelando o papel social e
psicodramático do professor 41
Maisa Helena Altarugio e Maria Aparecida Fernandes Martin

5. Método educacional psicodramático – Um passo a passo
cuidadoso para o protagonismo do educando 51
Camila Tyrrell Tavares

6. Pedagogia psicodramática – O método educacional psicodramático
como modalidade de ensino 61
Julio Cesar Valentim

7. Vale uma maçã? 79
Elisabeth L. Bez Chleba

8. Pedagogia psicodramática como metodologia ativa na formação de pedagogos . . 93
Cristina Jorge Dias

9. Jogos nas aulas *online* – Conectando os temas e o grupo 109
Norival Albergaria Cepeda

10. "Conceitos em ação" – O uso do jogo dramático na
formação de psicodramatistas 123
Gisele da Silva Baraldi

11. *Role-playing* – Ensino-aprendizagem além das conservas culturais 143
Cristiane Tavares Romano

12. O sociodrama como facilitador do desenvolvimento
do papel profissional 155
Neide Feijó, Lúcio G. Ferracini e Sara de Sousa

13. Pedagogia psicodramática – Uma experiência com
pesquisa em educação 171
Alcione Ribeiro Dias e Sônia da Cunha Urt

14. A neurociência e o aprendizado com psicodrama 185
Marly Unello Rosinha

Prefácio

O telefone toca e recebo de Maria Aparecida Fernandes Martin, uma das autoras e organizadora deste livro, o convite para escrever o prefácio desta obra tão necessária aos futuros e aos já titulados diretores, egos auxiliares, professores, terapeutas de alunos, supervisores, orientadores, socionomistas e psicodramatistas das nossas federadas.

Sinto-me muito honrada e feliz por poder expressar meus sentimentos por Jacob Levy Moreno, Maria Alicia Romaña e pela Associação Brasileira de Psicodrama e Sociodrama (ABPS), a entidade mais moreniana que conheço.

Como sempre me dediquei a também ensinar e aprender, recebi este livro como um relicário: além de ser esclarecedor, ele mostra os caminhos para compreender o projeto socionômico de Moreno, cujo foco são as relações humanas, e a força de seu método – o psicodrama.

Desde minha primeira formação profissional, como professora normalista, assumi meu papel de educadora, semente que germinou, cresceu e floresceu, brotando em tudo que até hoje fiz e faço. Nesse sentido, este livro fala daquilo que gosto de fazer e ensinar.

Apaixonei-me por Moreno conhecendo sua história de vida, suas obras e seus feitos, reconhecendo esse genial e grande mestre, sábio, poeta, guerreiro, religioso, humanista, vaidoso, sedutor, educador, rebelde, pesquisador, contrário às conservas culturais discriminatórias e negativas, amante das artes espontâneas criativas, curador de almas.

Comecei a conhecer mais profundamente Moreno por meio da inesquecível mestra Maria Alicia Romaña, da qual tive o privilégio de ser aluna, supervisionanda e amiga. Foi ela quem me ensinou a ter a consistência adequada em cada um dos meus papéis. Nosso vínculo foi se tornando cada vez mais forte à medida que nos visitávamos tomando chá com biscoitos, nos ajudávamos e trocávamos confidências.

Meu respeito por ela nunca foi abalado, assim como minha admiração por seu saber e suas convicções. Esses sentimentos se ampliaram ainda mais quando eu soube que, sem perder seu papel de pedagoga, ela fez formação em psicodrama no foco psicoterápico e adaptou esse método para ser usado em sala de aula, motivando e facilitando a aprendizagem.

Sua competência permitiu que seu trabalho se expandisse no contexto social de tal maneira que ele pode ser usado em treinamentos, avaliações de desempenho, pesquisas e para facilitar integrações e orientar escolhas profissionais, sempre focalizando conteúdos psicossociais.

Com Alicia também aprendi que, para Moreno, o foco principal do método psicodramático são as dramatizações de papéis sem roteiro prévio, sem ensaio, com papéis assumidos no "aqui e agora" e desempenhados como se fossem reais. Moreno era revolucionário e lutava contra normas e valores que excluíam os menos favorecidos das artes e do convívio social com os mais abastados. Criou a "filosofia do encontro" tendo como matriz suas preocupações com os seres humanos que nada possuíam. Fundou, com amigos, a Casa do Encontro, onde os desvalidos recebiam abrigo, orientações e afeto. Foi o primeiro a escrever sobre relações e interações que favorecem os encontros relacionais, sempre baseados em tudo que é indeterminado.

Não sem razão, quando morou no Brasil, Maria Alicia escolheu filiar-se à Associação Brasileira de Psicodrama e Sociodrama. Trata-se de uma entidade muito especial, acolhedora, que respeita, propaga e amplia a obra moreniana, na teoria e na prática, em pesquisas e atendimentos psicoterápicos e psicossociais. Essa atuação está registrada e comprovada em cada página deste livro, que revela os saberes e fazeres de seus autores e autoras.

Muitos deles – e também as funcionárias dessa entidade, pelas quais tenho grande afeto – sempre me recebem com grande consideração e carinho, revelando o que os vínculos verdadeiros são capazes de ofertar. Orgulho-me muito do que fazem e do que são. Aliás, os capítulos dos que fizeram formação com os didatas revelam que formaram psicodramatistas de verdade, confirmando o mérito de suas titulações.

Com muito respeito, em nome de Maria Alicia Romaña e em meu nome, parabenizo a todos os que fazem parte da ABPS, sobretudo os que criaram esta obra preciosa. Ao desvelarem o que devemos carregar na alma para ensinar psicodrama e nos ensinarem a utilizar esse método adequadamente em qualquer área de relações humanas, eles se mostram fiéis seguidores dessa mestra, esclarecendo diversos entendimentos confusos, como os limites corretos dos trabalhos psicoterápicos, terapêuticos e socioeducacionais.

Tenho certeza de que Moreno, esteja onde estiver, está aplaudindo o lançamento deste livro, que organiza a ciência da aprendizagem – a pedagogia — com relatos de trabalhos psicodramáticos realizados com competência e resultados extremamente positivos.

Agradeço pelo convite e louvo a ABPS pelo que faz, pelo que é, pelos associados que tem e pela oportunidade de abrir meu coração com amor e emoção.

Carinhosamente,

HERIALDE OLIVEIRA SILVA
Educadora, psicóloga e psicodramatista

APRESENTAÇÃO

2022 será especial para os psicodramatistas iluminados pelo legado deixado por Maria Alicia Romaña, pois é o ano de nos lembrarmos de todas as suas contribuições pessoais e profissionais e de agradecermos por elas. Mesmo uma década após sua morte, Maria Alicia permanece viva por meio de suas obras e realizações. E o livro que apresentamos agora é uma demonstração do nosso orgulho e do privilégio de recordar essa data.

Foi em 2009 que Maria Alicia Romaña escreveu o último livro, *Pedagogia psicodramática e educação consciente*, com o qual concluiu sua jornada na criação de uma proposta educacional para o psicodrama. Desde sua primeira empreitada até os inúmeros artigos e trabalhos na formação de alunos e educadores desenvolvidos com base no arcabouço teórico e prático que ela construiu, os colegas psicodramatistas têm replicado sua pedagogia e seu método em contextos socioeducacionais de trabalho, estudo e pesquisa.

Contudo, poucos desses colegas investiram em relatar e publicar suas experiências na forma de livros ou artigos, seja por falta de interesse, seja pela pouca familiaridade com a escrita. Sabemos, porém, da importância para o leitor e a leitora, psicodramatista ou não, de aumentar e inovar seu repertório teórico e prático sobre os métodos que aplica em seu contexto profissional.

É nesse cenário que entendemos a relevância deste livro, um modo – embora conservado – de divulgar e enaltecer o nome de Maria Alicia Romaña por meio dos escritos de colegas psicodramatistas que acreditam na pedagogia psicodramática e a valorizam, seja na formação de psicodramatistas, seja no trabalho de base realizado nas organizações ou nas instituições de educação básica ou superior.

A obra está dividida em três etapas, acompanhando as etapas do psicodrama, como J. L. Moreno propôs:

Etapa I – Aquecimento: três capítulos resgatam aspectos históricos e conceituais do psicodrama e da pedagogia psicodramática que embasam os relatos aqui presentes e que julgamos importantes para ampliar o conhecimento dos nossos leitores e leitoras.

Capítulo 1. Breve olhar sobre os encontros de Moreno com a educação (Maria Aparecida Fernandes Martin). Como o próprio título indica, nesse capítulo o leitor terá um breve contato com Moreno em momentos específicos, nos quais ele se dedicou à educação e à aprendizagem. Trata-se de um aquecimento para a proposta do livro.

Capítulo 2. Maria Alicia Romaña e a pedagogia psicodramática (Maria Aparecida Fernandes Martin). Seguindo no processo de aquecimento, a autora apresenta aspectos da vida e obra de Maria Alicia Romaña. É um texto que mostra muitos saberes e fazeres deixados pela criadora da pedagogia psicodramática, permeado pela afetividade que envolvia seu trabalho e suas relações.

Capítulo 3. A pedagogia psicodramática e as metodologias ativas (Maisa Helena Altarugio). Baseando-se em Maria Alicia, L. Vigotski e Paulo Freire, a autora destaca os elementos que considera essenciais para que a pedagogia psicodramática seja uma metodologia ativa promissora de ensino e aprendizagem.

Etapa II – Dramatização: onze capítulos relatam e analisam experiências realizadas por autores que, como diretores, de alguma forma deixaram marcas *reais, simbólicas e imaginárias* no público que as vivenciou. São textos ricos em criatividade e espontaneidade, que revelam no "aqui e agora" uma grande variedade de situações e contextos de formação, ensino e aprendizagem.

Capítulo 4. O psicodrama pedagógico revelando o papel social e psicodramático do professor (Maisa Helena Altarugio e Maria Aparecida Fernandes Martin). As autoras apresentam uma experiência inserida no psicodrama pedagógico, motivadas pela necessidade de problematizar o papel do professor em serviço e em formação diante das ações conservadas em situações cotidianas do contexto escolar.

Capítulo 5. Método educacional psicodramático – Um passo a passo cuidadoso para o protagonismo do educando (Camila Tyrrell Tavares). A autora descreve o planejamento, o desenvolvimento e a realização de uma aula *online* utilizando o método educacional psicodramático. Apresenta o papel do educador como mediador de cada etapa do processo e a importância da interação, da afetividade e da ação espontânea para a aprendizagem.

Capítulo 6. Pedagogia psicodramática – O método educacional psicodramático como modalidade de ensino (Julio Cesar Valentim). O autor relata sua experiência como docente em uma aula de Psicopatologia Psicodramática utilizando o método educacional psicodramático na formação de psicodramatistas. Inclui também o jogo dramático como instrumento em uma das etapas da aula, compartilhando com o leitor todo o processo de elaboração, planejamento, realização e resultados.

Capítulo 7. Vale uma maçã? (Elisabeth L. Bez Chleba). A autora faz uma reflexão inspirada ao descrever três experiências desafiadoras com grupos de jovens. Com base no método educacional psicodramático e em jogos dramáticos, questiona o papel do professor e seu próprio papel de diretora na condução de grupos a caminho de uma consciência crítica.

Capítulo 8. Pedagogia psicodramática como metodologia ativa na formação de pedagogos (Cristina Jorge Dias). Nesse capítulo, a autora descreve sua pesquisa com um grupo de alunos de Pedagogia e suas angústias ao finalizar o curso em plena pandemia. Recorrendo aos jogos dramáticos como composição psicodramática e tendo o objeto intermediário como instrumento, revela as contribuições de uma metodologia ativa para criar espaços de encontro coletivo, espontaneidade e afetividade no contexto do ensino e da aprendizagem.

Capítulo 9. Jogos nas aulas *online* – Conectando os temas e o grupo (Norival Albergaria Cepeda). O capítulo apresenta toda a experiência adquirida pelo autor, ao longo de sua trajetória como psicodramatista, com os jogos dramáticos, por meio dos quais mostra como conectar os temas trabalhados e o grupo participante. É com muita alegria (como ele mesmo diz) que Norival amplia seu aprendizado na modalidade *online*, obtido no período da pandemia.

Capítulo 10. "Conceitos em ação" – O uso do jogo dramático na formação de psicodramatistas (Gisele da Silva Baraldi). A autora compartilha brevemente sua experiência como docente e faz reflexões sobre esse seu papel. Apresenta o desenvolvimento e a realização de uma disciplina com o objetivo de integrar uma diversidade de conceitos aprendidos em uma formação por meio de um jogo dramático. Seu objetivo é que os educandos consigam construir de maneira complexa as possibilidades de utilização do referencial estudado em sua prática profissional.

Capítulo 11. *Role-playing* – Ensino-aprendizagem além das conservas culturais (Cristiane Tavares Romano). Com base em suas experiências pessoais, a autora sensibiliza o leitor e destaca a relevância e o alcance de métodos de ação que visem à espontaneidade no processo de ensino e aprendizagem. Apresenta o *role-playing* como proposta pedagógica e o diferencia do *role-training* ao discorrer sobre as práticas vivenciadas.

Capítulo 12. O sociodrama como facilitador do desenvolvimento do papel profissional (Neide Feijó, Lúcio Ferracini e Sara de Sousa). Nesse capítulo, os autores fazem um mergulho na teoria de papéis e trazem experiências sociodramáticas realizadas no Brasil e em Portugal que contribuíram para a formação de enfermeiros, psicólogos e terapeutas ocupacionais.

Capítulo 13. Pedagogia psicodramática – Uma experiência com pesquisa em educação (Alcione Ribeiro Dias e Sônia da Cunha Urt). As autoras descrevem o encontro bastante original entre o aporte da pedagogia psicodramática e a metodologia de pesquisa para investigar um fenômeno educacional: o adoecimento docente no ensino superior.

Capítulo 14. A neurociência e o aprendizado com psicodrama (Marly Unello Rosinha). Capítulo que aproxima os saberes atuais sobre a aprendizagem da ótica do conhecimento a respeito do sistema nervoso e a metodologia psicodramática proposta por Maria Alicia Romaña. Nessa linha, a autora compartilha análises de sua prática em salas de aula do ensino superior.

Etapa III – Compartilhamento: nessa última etapa, como sugeriu Maria Alicia em nome da construção coletiva do conhecimento, convidamos nossos leitores e leitoras a escreverem um capítulo único, dividindo conosco experiências, impressões, sentimentos e comentários sobre este livro.

Desejamos aos psicodramatistas experientes, novatos ou futuros uma leitura ativa e estimulante, como foi este trabalho para nós, organizadoras desta obra.

MAISA HELENA ALTARUGIO
MARIA APARECIDA FERNANDES MARTIN

1. Breve olhar sobre os encontros de Moreno com a educação

Maria Aparecida Fernandes Martin

É pertinente iniciarmos falando sobre o exercício do papel de professor desempenhado por J. L. Moreno. Muito jovem ainda, ele deu aulas particulares para obter seu sustento quando, em torno de 1906, sua família deixou Viena. Constam na biografia de Moreno histórias sobre suas habilidades como professor, e vale resgatar o caso de Elisabeth Bergner, cujos depoimentos confirmam que ele era "muito aberto e tolerante. Apelava para a criatividade, imaginação e espontaneidade do aluno. O processo de aprendizagem tinha que ser para ele uma experiência global e altamente motivadora" (Marineau, 1992, p. 49).

Certamente Moreno fazia sucesso com alguns estudantes e não com outros, mas a experiência positiva com Bergner se repetiu com vários alunos e faz parte do início de suas práticas com crianças, como relata Marineau (1992).

Moreno costumava frequentar Augarten, um parque público de Viena, e em seus passeios se encontrava com crianças, com quem brincava e para quem contava histórias. Atraía os pequenos como se fosse um personagem saído diretamente dos contos de fadas.

De acordo com Marineau (1992), nessa época já se apresentavam as bases do que viria a ser sua filosofia. Moreno trazia à tona a imaginação e criatividade das crianças, e nas brincadeiras utilizava jogos que estimulavam a espontaneidade. Tempos depois, criaria o teatro para crianças, no qual elas inventavam e improvisavam até mesmo peças clássicas.

Essas atividades tiveram um fim repentino, primeiro em função da insatisfação de pais e professores – preocupados com as intenções daquele homem que influenciava tão intensamente as crianças a ponto de estas questionarem as aulas e preferirem ir à praça a fazer as tarefas escolares – e também por causa da Primeira Guerra Mundial. No entanto, depois dessa vivência, Moreno carregou para sua vida o modelo de espontaneidade e criatividade.

Com base nos escritos de Marineau (1992), destacamos outros pontos de grande relevância para a temática em foco neste capítulo, observando quanto Moreno valoriza a pessoa, a ação e a experimentação. É o que vemos em um trecho de seu poema "Convite a um encontro":

[...]
Mais importante do que a procriação é a criança.

Mais importante do que a evolução da criação é a evolução do criado.

Em lugar dos passos imperiais, o imperador.

Em lugar dos passos criativos, o criador...

Em vários momentos Moreno enfatiza a importância da ação e da experimentação sobre as palavras. Ele acreditava "que uma pessoa podia mudar através do que chamava *insight* da ação, um processo de experimentação e reexperimentação do comportamento com a subsequente reflexão sobre ele" (Marineau, 1992, p. 85).

É preciso enfatizar um aspecto da obra moreniana que foi caro ao desenvolvimento da pedagogia psicodramática, tornando-se um dos pilares das propostas de Maria Alicia Romaña. Sua experiência como professor particular pode ter sido o embrião para o desenvolvimento da ideia da espontaneidade e da criatividade, abrindo o palco para sua expressão, um novo teatro – o teatro da espontaneidade. Nesse palco vislumbrava-se um espaço para testar e mensurar a espontaneidade em um ambiente profícuo. De acordo com Moreno (1975; 1984), o quociente da espontaneidade não está relacionado com o quociente de inteligência. Além disso, a espontaneidade, como função cerebral, tem um desenvolvimento mais rudimentar do que outras funções do sistema nervoso central, o que, segundo ele, explica a dificuldade humana para lidar com situações-surpresa.

Atividades inesperadas evidenciam que o cérebro humano "normal" se mostra bastante despreparado para acontecimentos repentinos, levando a respostas falsas ou até mesmo à ausência de respostas. No entanto, pessoas estressadas, entediadas ou esgotadas revelam-se ainda mais inadequadas. Indivíduos em situações de alta organização cultural e tecnológica demonstram rigidez de pensamento e de atitudes. Para Moreno (1984), é necessário que os seres humanos vivenciem um treinamento específico para alcançar estados e ideias de espontaneidade.

Muitos foram os estudos, apontamentos e contribuições de Moreno com relação à temática da espontaneidade e criatividade e suas implicações para o desenvolvimento do ser humano e de sua saúde mental.

A raiz da palavra "espontaneidade" vem do latim *sponte*, que significa *livre e espontânea vontade*. Moreno (1992) considera que espontaneidade e criatividade estão sempre vinculadas, embora sejam diferentes – a espontaneidade sem criatividade levaria o indivíduo a ações sem sentido, e a criatividade sem espontaneidade estaria desenergizada.

Definimos como espontaneidade a resposta do indivíduo a uma situação nova ou uma nova resposta a uma situação antiga (Moreno, 1975).

Traremos agora essa temática para o âmbito da educação. Moreno é categórico e crítico ao afirmar, no início do século XX, em seus primeiros escritos, que o sistema educacional necessitava rejuvenescer, pois ao aluno só se permitia reproduzir conservas. Muitos caminhos foram trilhados de lá para cá, com avanços e retrocessos, mas ainda são visíveis inúmeras situações educacionais nas quais reproduzimos esse modelo de aprendizagem.

Para o autor, o processo de aprendizagem deve enfatizar primeiramente o processo produtivo, espontâneo e criativo de aprender. Ele salienta que o treino da espontaneidade é o tema principal da escola do futuro.

Moreno (1975) chega a propor que escolas de todos os níveis tenham um palco que sirva de laboratório para exercícios de enfrentamento das situações do cotidiano. Ele afirma ainda que apenas a fala não é capaz de encontrar soluções para os problemas, e propõe a sessão psicodramática como possibilidade para a catarse de ação, levando o jovem a resolver seus problemas no palco.

O autor traz também a ideia de incluir no currículo escolar o jogo espontâneo, que propicia o ato criador e habilita o ser humano a criar regularmente. A aprendizagem por meio da ação espontânea, preconizada por Moreno (2008) com a utilização dos jogos de papéis – os jogos dramáticos –, permite o erro e as novas tentativas em um campo relaxado. Assim, a cada tentativa a aprendizagem pela espontaneidade percorre um novo trajeto no sistema nervoso, dando-se nos níveis intelectual, emocional, corporal e relacional e ampliando a possibilidade de novas respostas de acordo com a realidade social experienciada.

Moreno critica o excesso de brinquedos mecânicos e acabados, uma vez que eles não fornecerem resposta às atitudes de quem os manipula, mantendo as crianças como únicas na vivência. Isso dificulta a percepção do outro e de si na interação, prejudicando, em consequência, o desenvolvimento da empatia.

O aquecimento é apresentado por Moreno (2008) como fator de grande importância para que o indivíduo se envolva em um método de aprendizagem cuja essência seja a espontaneidade. Após o aquecimento, a produção segue por conta do sujeito e dos coautores, pois a aprendizagem via espontaneidade gera um alto nível de autonomia nos aprendizes.

Encontramos o trabalho de Moreno em vários contextos educacionais. Quando conheceu Beatrice Beecher, com quem viveu por um curto período, por volta de 1928, realizou sua primeira experiência psicodramática americana ao coordenar testes de espontaneidade com crianças no Plymouth Institute. Educadora brilhante, Beatrice introduziu o psicodrama infantil na instituição (Moreno, 1997).

Moreno realizou trabalhos psicodramáticos na Grosvenor Neighborhood House e no Hunter College em 1929, e em 1931 conduziu estudos sociométricos na Public School (Fox, 2002).

Entre 1932 e 1936, em Hudson, atuou em um reformatório para moças, onde ampliou sua proposta educacional e teve seu trabalho reconhecido por importantes educadores, entre eles John Dewey. Utilizando a sociometria e o *role-playing*, propiciou às internas o exercício e o consequente desenvolvimento de habilidades para resolver problemas relacionais (Bareicha, 1999).

Neste breve capítulo sobre a proposta moreniana destacamos a força da ação e a necessidade de primar pelo desenvolvimento da espontaneidade no processo educacional, enfatizando ainda a relevância dada às relações por meio de seus estudos sociométricos.

Referências

Bareicha, P. Psicodrama, teatro e educação: busca de conexões. *Linhas Críticas – Revista da Faculdade de Educação*, Brasília: UnB, v. 4, n. 7-8, 1999.

Fox, J. O *essencial de Moreno – Textos sobre psicodrama, terapia de grupo e espontaneidade*. São Paulo: Ágora, 2002.

Marineau, R. F. *Jacob Levy Moreno: 1889-1974. Pai do psicodrama, da sociometria e da psicoterapia de grupo*. São Paulo: Ágora, 1992.

Moreno, J. L. *J. L. Moreno – Autobiografia*. São Paulo: Saraiva, 1997.

_____. *Psicodrama*. São Paulo: Cultrix, 1975.

_____. *O teatro da espontaneidade*. São Paulo: Summus, 1984.

_____. *Quem sobreviverá? Fundamentos da sociometria, psicoterapia de grupo e sociodrama*. Goiânia: Dimensão, 1992. v. 1.

_____. *Quem sobreviverá? Fundamentos da sociometria, psicoterapia de grupo e sociodrama*. Edição do estudante. São Paulo: Daimon, 2008.

2. Maria Alicia Romaña e a pedagogia psicodramática

Maria Aparecida Fernandes Martin

A teoria do psicodrama foi gestada por Jacob Levy Moreno no início do século XX, na Europa do entreguerras. Seu método de abordar e intervir priorizava o indivíduo, as relações e a coletividade, abrangendo os conflitos, as angústias e o desenvolvimento humano. Ao longo das décadas, o método cresceu pelas mãos de psicodramatistas que o estudam e praticam.

Um dos ramos dessa árvore esplendorosa em que se constituiu o psicodrama foi criado e desenvolvido na América Latina por Maria Alicia Romaña, que nasceu na Argentina mas de certo modo tem o Brasil como segunda pátria. Afinal, ela viveu aqui durante parte importante de sua vida adulta. Foi em nosso país que Maria Alicia conseguiu desenvolver aspectos significativos da pedagogia psicodramática.

Este capítulo conta um pouco da história dessa autora e integra a esse relato o desenvolvimento de sua obra, denominada atualmente pedagogia psicodramática. Embora vida e obra se confundam, a primeira parte do texto apresentará os aspectos de sua trajetória pessoal e a maneira como esse percurso contribuiu para o desenvolvimento de sua teoria pedagógica; em um segundo momento, abordarei a construção do referencial teórico-metodológico; no terceiro tópico, as bases que sustentam a proposta de Romaña.

Breve histórico

Ao falarmos da obra de Romaña, é importante conhecermos um pouco sobre a autora, pois, como vimos, sua vida e sua obra estão fortemente integradas. Ambas são grandes inspirações para aqueles que pensam no desenvolvimento do ser humano – e para os que pensam na educação em sua maior complexidade.

Parte dos escritos a seguir vem de leituras e releituras que fiz dos livros de Maria Alicia, mas outros aspectos da descrição e do entendimento de sua obra derivam das longas conversas e belas aulas que tive o prazer e o privilégio de vivenciar com ela.

Maria Alicia Romaña nasceu na cidade de Resistencia, capital da província do Chaco, na Argentina, em 13 de maio de 1927. O acaso, não por acaso, a fez nascer em uma cidade com esse nome, e nesse dia emblemático.

Filha de Luis Romaña e de Maria Alicia Otaño (de quem herdou o nome), ela se refere aos pais como aqueles que lhe permitiram "um ambiente de afeto e disciplina, onde a compreensão e a solidariedade tiveram tanta importância quanto a perplexidade e a tolerância" (Romaña, 1992, p. 5). Certamente os que conviveram com ela se lembram dessas características em suas ações e relações.

Habilitou-se como docente em 1944 e formou-se em Pedagogia pela Facultad de Filosofía y Letras da Universidad Nacional de Buenos Aires em 1950. De acordo com o registro da própria Romaña (2019, p. 36-37), nesse período suas

> [...] referências oscilavam entre um pragmatismo experimentalista à maneira de John Dewey e da Escola Nova, um humanismo com Rousseau e Pestalozzi e uma compreensão fenomenológica-dialética-existencialista do mundo pós-Segunda Guerra Mundial, que tinha em Husserl, Sartre e Merleau-Ponty suas figuras mais representativas.

De 1958 a 1976, foi professora (de Didática, Metodologia e Prática de Ensino), conselheira e reitora da Escuela Nacional de Bellas Artes Prilidiano Pueyrredón, em Buenos Aires. A experiência relacional e profissional de Romaña a fazia sentir falta de uma metodologia mais efetiva em suas práticas educacionais e na supervisão de seus alunos. Nessa busca constante, em 1962, ao participar pela primeira vez de uma sessão de psicoterapia psicodramática – com os doutores Rojas-Bermúdez e Fiasqué na direção –, ela encontrou o que procurava. Romaña (1996, p. 23) viu no psicodrama o "método didático que respondia de alguma forma a uma concepção fenomenológica da educação". Encantou-se!

Sem hesitar, iniciou em 1963 a formação de psicodramatista na Asociación Argentina de Psicodrama y Psicoterapia de Grupo. Na época, essa formação se concentrava especificamente no psicodrama psicoterápico, mas nesse momento Romaña (única pedagoga) começou a desenvolver um marco teórico para a aplicação do psicodrama na educação.

Ela sabia que teria muito trabalho pela frente. Assim, enfrentando diversos questionamentos, deu início a suas pesquisas, trabalhando com grupos de crianças, jovens e professores no que denominou "técnicas psicodramáticas aplicadas à educação".

Mas foi em agosto de 1969 que Maria Alicia considerou apresentar oficialmente o psicodrama pedagógico no IV Congresso Internacional de Psicodrama, ocorrido em Buenos Aires, que contou com a presença de J. L. Moreno e de muitos brasileiros.

Inspirada pela obra moreniana, a autora sistematizou e desenvolveu o psicodrama com reflexões, ações, olhos e mãos de pedagoga e com a afetividade daqueles que se importam com pessoas, com relações e com o aprendizado consciente e crítico.

Com base em seus estudos e pesquisas, Romaña (1987) descreve ter feito uma série de conexões que originaram o que ela denominou *método educacional psicodramático* (MEP), que prevê que a dramatização acontece em três planos, conforme o Quadro 1:

Quadro 1 – Método educacional psicodramático (MEP)		
Níveis de realização psicodramática	Dramatização	Nível de compreensão lógica da aprendizagem
Plano real	Situações vividas, coisas e objetos parcial ou totalmente conhecidos	Nível conceitual analítico
Plano simbólico	Sentimentos, expectativas, sensações ou outros similares	Nível conceitual sintético
Plano da fantasia	Situações temidas, sonhos, ideias ou projetos imaginados	Nível de generalização

Fonte: Romaña (2009).

Essas conexões entre ações dramáticas/dramatização e o processo de aprendizagem permitiram a interlocução entre a pedagogia e o psicodrama. Em seguida, Romaña somou ao MEP a prática do *role-playing*, que propicia a investigação de aspectos angustiantes, insatisfatórios ou conflitivos do papel de educador e o exercício de novas práticas que favoreçam sua estruturação ou reestruturação. Foi essa a origem do *psicodrama pedagógico*.

Após sua apresentação no congresso, Maria Alicia foi convidada a formar educadores no Brasil, entre 1969 e 1970, nos primeiros grupos de formação em psicodrama do país (Grupo de Estudos de Psicodrama de São Paulo – GEPSP). Depois, até 1973, continuou abrindo espaço para o psicodrama na educação por aqui. Entre 1971 e 1973, foi codiretora da Role-playing, escola situada em São Paulo.

Mesmo atuando no Brasil, manteve seu trabalho de formação psicodramática de educadores na Argentina. Toda essa diversidade profissional contribuiu sobremaneira para a estruturação da teoria do psicodrama pedagógico (Romaña, 1996).

Ao longo do tempo, a construção que começou com a aplicação dos recursos psicodramáticos na educação foi se desenvolvendo, aprofundando-se e tornando-se uma metodologia ativa de ensino forte e efetiva.

Cabe aqui resgatar o prólogo escrito por Moysés Aguiar a um dos livros de Romaña (1992):

> Maria Alicia Romaña mostra o psicodrama na sua mais plena fecundidade, ambientando e dizendo a que veio, justamente numa área em que pontificam inexpugnáveis notoriedades: a educação. Moderno, realista, criativo, bem fundamentado. Com plenas condições de oferecer sua melhor contribuição para que sejam alcançados os objetivos mais caros à coletividade.

Em 1973, Alicia assumiu a reitoria da Escola Nacional de Bellas Artes Prilidiano Pueyrredón, o que a fez deixar a Role-playing em São Paulo; os compromissos na Argentina se intensificaram e as viagens ao Brasil se tornaram incompatíveis com suas atividades.

Em 1976, em plena ditadura argentina, passou a sofrer ameaças constantes, o que a levou a se exilar, com os filhos, no Brasil. Nosso país também enfrentava o regime ditatorial, porém em um ambiente no qual Romaña não era conhecida pelas autoridades. Agora instalada em São Paulo, ela passou a contribuir regularmente para a formação e a orientação de educadores psicodramatistas do país.

Assim, entre 1976 e 2005 a história da pedagogia psicodramática continuou a se desenvolver no Brasil. Nesse período, Alicia aprofundou suas reflexões e observou o movimento do psicodrama pedagógico na comunidade psicodramática. Escreveu vários livros visando apresentar e clarificar o referencial metodológico que desenvolvera com objetivos pedagógicos, buscando fortalecer o foco de sua proposta. Participou de congressos e eventos levando experiências que integravam a seu trabalho aspectos artísticos e poéticos ao realizar modalidades psicodramáticas como o sociodrama, o jornal vivo e o teatro espontâneo, que serão apresentados mais à frente.

No final do século XX, passou a enxergar um crescimento preocupante, na América Latina, da visão de mundo dos valores do neoliberalismo, aqui entendido como perspectiva que valoriza os aspectos materiais das conquistas dos indivíduos, retirando totalmente o contexto socioeconômico e histórico de cada pessoa.

Para ela, a globalização e a financeirização que se consolidaram posteriormente como ideologia predominante na América Latina levariam à valorização do individualismo e trariam sérias consequências para a sociedade. Isso impactaria, em algum momento, a educação e atingiria sobretudo a juventude, retirando desta o poder da criatividade na busca de novas e diferentes soluções para os problemas. O indivíduo seria levado a um pensar no qual só haveria uma forma de sucesso, e qualquer outro caminho levaria ao fracasso, fortalecendo com isso a exclusão social.

Ao interpretar o caminho que a sociedade estava tomando, Alicia ampliou o corpo teórico de sua proposta, unindo ao que já havia construído e vinha praticando – o psicodrama pedagógico – as ideias de Lev Semionovich Vigotski,[1] em especial a importância que ele atribui ao simbólico, e as contribuições de Paulo Freire, sobretudo suas reflexões sobre a ação e a ética do educador e a evolução da consciência, que, aliadas, dão origem à *pedagogia do drama.*

A articulação e a integração dessas três vertentes teórico-práticas, compostas por Freire, Vigotski e Moreno – em especial alguns conceitos propostos por esses autores que veremos mais à frente –, constituíram a pedagogia do drama como proposta educacional que vincula os saberes da aprendizagem formal à experiência de vida do educando, considerando seus aspectos culturais e afetivos.

Pedagogia do drama

Analisaremos agora, com especial atenção, a estrutura utilizada para o desenvolvimento das cenas psicodramáticas. Para o leitor que já conhece o psicodrama, trataremos de temas bem conhecidos. Para aqueles que estão se familiarizando com a proposta, conhecer esses aspectos tornará possível a compreensão e principalmente a realização dessa prática metodológica.

Todo trabalho psicodramático observa a mesma estrutura em sua realização; naturalmente, cada ação dramática percorre seu próprio caminho, mas os componentes estruturais sempre se mantêm. Para compor a estrutura da construção da atividade psicodramática, consideramos a presença de *três contextos* (social, grupal e dramático), *três etapas* (aquecimento, dramatização e compartilhar) e *cinco elementos* (diretor, ego auxiliar, protagonista, palco e plateia) (Malaquias, 2011; Rojas-Bermúdez, 2016).

Compreender essa estrutura facilitará o entendimento das descrições das práticas realizadas no campo da educação formal ou informal abordadas nos capítulos posteriores.

Apresentaremos cada componente da estrutura das atividades psicodramáticas com olhos para um *trabalho específico na área educacional,* uma vez que é esse o nosso foco (Romaña, 2004; 2009).

---

1 Em russo, as letras ii que aparecem na primeira e na última sílabas do nome Vigotski são diferentes entre si; com grafia e som diversos, não encontram uma correspondência exata em línguas ocidentais. Ao fazer a transliteração do alfabeto cirílico para o latino, cada tradução optou por uma grafia diferente. Atualmente, a grafia mais aceita em português é Vigotski, e por isso optamos por utilizá-la. No caso de citações bibliográficas, porém, mantivemos a grafia particular usada em cada obra. [N. E.]

Quadro 2 – Estrutura da atividade psicodramática	
Contextos	Social
	Grupal
	Dramático
Etapas	Aquecimento
	Dramatização
	Compartilhar ou comentários
Elementos	Diretor
	Ego auxiliar
	Protagonista
	Palco
	Plateia

Fonte: Elaborado pela autora.

Contextos

Iniciaremos pelos *contextos*, considerando o desenvolvimento da atividade em uma escola, instituição, organização ou comunidade. Podemos identificar esses ambientes como componentes do *contexto social*, de onde vêm os participantes do grupo com quem o trabalho será desenvolvido. Será desse contexto que os participantes trarão os conteúdos a ser trabalhados, sejam eles conflitos, angústias, descobertas, dificuldades ou desejos, entre outros. O contexto social pode ser mais amplo: o bairro, a cidade e até mesmo a sociedade como um todo.

O trabalho sempre será desenvolvido em um grupo no qual todos têm uma identidade pessoal e uma identidade comum, relacionada a um papel comum entre os participantes – o papel de aluno, por exemplo. Temos aqui o *contexto grupal*, em que tudo é real.

Ao identificarmos a temática e darmos início ao trabalho, deixamos o real e adentramos no "como se", que constitui o *contexto dramático*. Nele, abandonamos nossa identidade para assumir personagens e abrimos espaço para ser o que precisarmos ser, dando voz e expressão ao que for necessário na *dramatização*.

Etapas

Começamos então a falar das *etapas*. A *dramatização* é a fase central do trabalho, na qual as produções grupais e as intervenções acontecem sob a batuta do coordenador, aqui denominado diretor – que, nesse caso, é o professor. Voltando às etapas, para atingir a dramatização é necessário um convite, uma preparação, que denominamos *aquecimento*. Nessa etapa inicial identificamos a temática foco do trabalho, que pode ser um contcúdo a ser desenvolvido, por exemplo, ou o levantamento de uma necessidade do grupo percebida por meio do diálogo. Preparamo-nos então para a *dramatização* com base em uma conversa, um jogo ou uma atividade corporal, acionando iniciadores corporais, mentais, emocionais ou sociais, dependendo do objetivo central. Após a dramatização, seguimos para a finalização, que se dá na etapa dos *comentários ou compartilhar* dos participantes sobre a vivência, os aprendizados. Por fim, há o fechamento do trabalho pelo diretor.

Elementos

A seguir falaremos sobre os cinco *elementos* da sessão. Um deles já foi mencionado, o *diretor*, aquele que coordena a atividade com objetivos educacionais. As cenas dramáticas normalmente são coconstruídas pelo grupo, mas o diretor pode incluir ou excluir componentes, bem como aplicar técnicas (falaremos delas um pouco mais adiante) a fim de favorecer o alcance dos objetivos.

Caso algum conceito, informação ou compreensão de conteúdo se dê de maneira errônea, cabe ao diretor apresentar a correção no final da dramatização. Ao diretor também compete identificar o *protagonista*, que é quem focaliza a temática com sua forma de ver e de vivenciar a situação a ser dramatizada e o clima emocional desta.

Às vezes a temática tem ligação direta com o protagonista, mas na maior parte das vezes, no campo pedagógico, ele é apenas um porta-voz. Além disso, o diretor pode possibilitar que outros participantes do grupo vivenciem o protagonismo da cena, apresentando novas formas de lidar com a temática em foco.

Contamos também com o *ego auxiliar*, profissional que, em sintonia com o diretor, contribui para o desenvolvimento do trabalho grupal, participa da dramatização, desempenha papéis e troca de lugar, a pedido do diretor, com integrantes da cena, assumindo seus papéis; o ego auxiliar mantém o grupo aquecido. Sua participação altera, descontrai ou tensiona a cena, dependendo do objetivo do diretor. Ele pode expressar emoções quando os integrantes da cena apresentarem dificuldades para fazê-lo.

Toda a dramatização ocorrerá em um espaço previamente combinado com o grupo, que denominamos *palco*. Isso permite diferenciar o espaço e o tempo reais da construção do "como se". Assim, os participantes desenvolvem o simbólico e a fantasia, assumem personagens diversos e tornam-se capazes de exercer ações e resoluções que se constroem e desconstroem quando necessário.

Nas cenas e atividades desenvolvidas, é possível contar com a ação do grupo todo ou de parte dele. Nesse segundo caso, teremos então aqueles que observam a cena/situação desenvolvida, os quais denominamos *plateia*. Seu papel é importante, pois ela funciona como caixa de ressonância da dramatização, apresentando suas percepções e reflexões na etapa do compartilhar.

O Quadro 3 traz um resumo da sistematização de possibilidades metodológicas de ação que podem ser usadas em processos pedagógicos. O educador e o educando podem desenvolvê-las por meio da expressão da criatividade e espontaneidade, aspectos caros ao psicodrama que serão comentados a seguir.

Quadro 3 – Metodologias de ação

Modalidades/composições	Técnicas
Teatro espontâneo	Duplo, espelho, inversão de papéis, solilóquio e interpolação de resistências
Jornal vivo	
Sociodrama	
Jogos dramáticos	
Role-playing	
Método educacional psicodramático (MEP)	

Fonte: Elaborado pela autora.

Como vimos, o diretor pode intervir na cena utilizando determinadas técnicas a fim de propiciar o alcance dos objetivos. As técnicas mais utilizadas são: duplo, espelho, inversão de papéis, solilóquio e interpolação de resistências. Embora as duas primeiras não sejam mencionadas por Alicia, a prática tem demonstrado a possibilidade de utilizá-las.

- *Duplo*: em geral aplicado pelo ego auxiliar ou até mesmo pelo diretor, consiste na expressão da emoção presente na cena, porém não manifestada pelo(s) protagonista(s) por dificuldade de fazê-lo ou por falta de clareza quanto a essa emoção.
- *Espelho*: seu foco está em permitir que a cena seja assistida, ou seja, o(s) integrante(s) da cena é(são) substituído(s) pelo(s) ego(s) auxiliar(es) e pode(m) assistir à reprodução do desenvolvimento da cena. Essa técnica permite maior clareza e percepção do fenômeno em foco ou da maneira como o indivíduo está agindo na cena, possibilitando a busca de novas formas, mais adequadas, de agir.

- *Inversão de papéis:* também permite compreender melhor o fenômeno em foco, porém assumindo o lugar do outro, outra perspectiva que não a do próprio eu. Em determinadas situações, visa reafirmar ou transformar o que se sente ou pensa na perspectiva do papel do outro. Trata-se de ocupar o papel do professor, por exemplo, ou de outro integrante do grupo.
- *Solilóquio:* é realizado quando o diretor o solicita ao participante da cena. Não compõe um diálogo, sendo formado por uma expressão em voz alta do que está sendo visto, sentido ou percebido na situação. Muitas vezes clarifica para o diretor o que está acontecendo e permite melhor direcionamento.
- *Interpolação de resistências:* permite a interferência na cena, a introdução de um novo personagem pelo diretor ou uma nova informação, alterando o rumo dos acontecimentos.

Contamos ainda com modalidades mais complexas de ação, denominadas por Romaña (2004) composições psicodramáticas, que serão apresentadas a seguir. Destacamos que, ao trabalharmos com as modalidades propostas, também é possível, quando necessário, fazer uso das técnicas descritas, considerando os objetivos da ação dramática desenvolvida.

- *Teatro espontâneo:* oferece a possibilidade de trabalhar em uma dimensão estética, teatral, com histórias pessoais – como sonhos, temores e experiências alheias. Permite um distanciamento do eu privado, mantendo o compromisso e a responsabilidade com a temática.
- *Jornal vivo:* consiste na dramatização parcial ou integral baseada em notícias de jornais e revistas trazidas para o grupo pelo diretor. O grupo lê o material e escolhe o conteúdo a ser dramatizado. O diretor pode selecionar notícias que estejam em consonância com temáticas que deseja trabalhar com o grupo, ou associadas a conteúdos pedagógicos da disciplina.
- *Sociodrama:* trabalho direcionado ao grupo como eu coletivo, com foco em possíveis dificuldades relacionais, ligado ao histórico do grupo ou a temáticas de interesse deste. Sempre direcionado ao desenvolvimento e crescimento grupal.
- *Jogos dramáticos:* mais direcionados, podem apontar para um caminho mais específico. Buscam a expressão da espontaneidade, da criatividade e da tele por meio de atividades lúdicas utilizadas no processo de ensino.
- *Role-playing:* trabalho voltado para o papel profissional real, as dificuldades, insatisfações e angústias. Possibilita percepções, avaliações, correções e alterações do papel em suas interações sociais.

Vale resgatar aqui o *método educacional psicodramático* (MEP), já apresentado, como uma dessas modalidades. Ele permite enfocar uma gama enorme de possibilidades, conteúdos e temáticas que se queira desenvolver com o grupo. Nas aulas, palestras e *workshops* de Romaña havia sempre algo novo, singular, elementos do aqui e agora extraídos de uma notícia do jornal do dia, de uma matéria de revista ou até mesmo de um acontecimento importante na comunidade/instituição. Romaña conectava esse conteúdo à temática do seu trabalho e estimulava o grupo a discutir e aprender sobre o tema proposto, além de ampliar o olhar dos participantes e de desenvolver questionamentos sobre si e o entorno. As vivências que propunha integravam a beleza das artes, a sensibilidade afetiva ao olhar para si e para o outro, a interação entre as pessoas e o desenvolvimento de saberes e da consciência.

Aspectos teóricos da pedagogia do drama

Para sustentar teoricamente as práticas descritas, apresentaremos as referências utilizadas partindo dos três pilares já mencionados: Freire, Vigotski e Moreno (Romaña, 1996; 2004; 2009; 2019).

Quadro 4 – Conceitos destacados por Romaña dos referenciais de Freire, Vigotski e Moreno	
Autor	Principais conceitos destacados
Paulo Freire	Níveis de consciência: mágica, ingênua e crítica
	Intencionalidade
	Diálogo
	Problematização
	Pensar certo
L. S. Vigotski	Instrumentos
	Signos
	Internalização
	Mediação
	Síntese
	Zona de desenvolvimento proximal
	Níveis de desenvolvimento real e potencial
J. L. Moreno	Espontaneidade e criatividade
	Tele
	Teoria de papéis
	Matriz de identidade

Fonte: Romaña (1996; 2004; 2009; 2019).

Não pretendemos discutir profundamente essas referências, mas registrá-las a fim de que o leitor identifique os principais conceitos que dão suporte à prática. Antes, porém, é importante descrever com as palavras de Romaña (1996, p. 98-99) as motivações para a articulação desses três autores:

> Gostaria de insistir no fato de que em muitas ocasiões as teorias inicialmente vigorosas, quando fora de contexto e/ou envolvidas em distorções, acabam perdendo sua potência como propostas transformadoras.
>
> Por isso acredito que da articulação coerente das proposições de Paulo Freire, L. S. Vigotski e J. L. Moreno pode surgir um recíproco fortalecimento. Não estou propondo uma colagem arbitrária e muito menos superficial. Estou propondo fazermos um tecido consistente, entrelaçando o que essas teorias têm de semelhante e complementar. Também do que elas têm de desafiador para o momento atual.

Paulo Freire (1921-1997)

Em Paulo Freire encontramos um educador latino-americano, mais especificamente brasileiro, incansável em seu projeto de alfabetização de jovens e adultos, cuja obra é reconhecida internacionalmente.

Para esse educador, o conhecimento deveria ser desenvolvido na *relação professor-educando*, pois o sujeito precisa envolver-se integralmente. Esse processo não demanda somente a inteligência, mas também o corpo, a sensibilidade e a intuição. A práxis educativa – ou seja, a ação e a reflexão – está na base da aprendizagem, pois possibilita a *transformação da consciência*.

A evolução da consciência demonstra que o aprendizado está ocorrendo. Freire apresenta *três níveis de consciência*. A mais elementar é a *consciência mágica*, na qual o indivíduo, sem compreender as situações à sua volta, deixa-se levar pelos fatos e opiniões dos outros, julgando-se inferior. A *consciência ingênua* apresenta-se inversamente; nela, o indivíduo julga-se superior e acredita que compreende os fatos, suas causas e consequências, considerando-se sempre correto. O nível mais avançado é o da *consciência crítica ou reflexiva,* na qual o indivíduo não se satisfaz com as aparências, reconhece os fatos mas os questiona, busca aprofundar a compreensão sobre eles, testa descobertas, é curioso, ativo, dialoga. Segundo Freire, o que favorece essa transformação da consciência não é a quantidade de informação, mas o grau de profundidade na compreensão do mundo.

O novo conhecimento mobiliza o indivíduo à ação e à constante busca de aprender, o que reveste a consciência de *intencionalidade*. Essa práxis promove a constante renovação da compreensão do mundo, mantendo a ampliação da consciência.

Na perspectiva de Freire, o processo educacional além dos conteúdos curriculares necessita que o educador faça uso do *diálogo*, que permite o reconhecimento das subjetividades e, assim, o aprendizado na inter-relação, e da *problematização*. Esta última levará os educandos à reflexão e à ampliação do saber.

Dessa forma, o papel do educador é importante não apenas para ensinar conteúdos, mas para estimular questionamentos, reflexões e o *pensar certo*, pensar este construído com base em acertos, erros, curiosidade, relações com o mundo e com as pessoas. Um pensar construído coletivamente.

Lev Semionovich Vigotski (1896-1934)

Vigotski trabalhou o enfoque sócio-histórico do desenvolvimento. Na perspectiva desse autor, a formação psicológica do ser humano se dá de fora para dentro, com base nas relações com o mundo externo e com os outros.

Ele se refere ao fato de que a criança nasce com funções psicológicas elementares; com as experiências sociais e o aprendizado da cultura, estas se tornam funções psicológicas superiores.

Começamos então enfatizando os conceitos de *instrumentos* e *signos*. Os instrumentos são recursos criados e utilizados pelo ser humano para facilitar e ampliar as possibilidades de atingir seus objetivos; os signos são marcas que contribuem para a organização e a classificação dos recursos que utiliza. Ambos fazem parte de toda a história de desenvolvimento do ser humano.

Para Vigotski, os instrumentos e signos, desenvolvidos de acordo com a necessidade e a capacidade dos seres humanos de buscar soluções para os desafios que surgem, passam a compor um grande acervo, que é a cultura desse grupo. Esses elementos são apreendidos e representados mentalmente. Tal fenômeno, de cunho essencialmente psicológico, é denominado por Vigotski *internalização*, que ocorre quando há a apropriação da representação do objeto sem sua presença concreta. A internalização é um processo importante pela abstração que envolve.

Outro conceito importante é o de *mediação*, que se dá pela intervenção de um intermediário em uma relação; é um processo que caracteriza a relação do ser humano com o mundo e com seus semelhantes. No processo de aprendizagem, esse conceito é fundamental, pois temos nele a figura do educador como mediador. A mediação simbólica é uma função psicológica superior que permite que fatos vividos anteriormente contribuam para a complexidade de novas respostas a situações atuais.

Destacamos também o conceito de *síntese*, que fazemos quando desejamos compreender o significado de situações ou de nossas vivências. Não se refere à simples soma ou justaposição das partes, mas à emergência de algo novo, antes inexistente. Torna-se possível pela interação, em um processo de transformação que gera novos fenômenos.

Por fim, abordamos a *zona de desenvolvimento proximal*, que envolve dois níveis de desenvolvimento (real e potencial). Há aprendizados que foram adquiridos sem precisar de apoio ou ajuda de outras pessoas – o real. Porém, há habilidades que estão em processo de fixação ou apropriação e necessitam de ajuda ou orientação – o potencial. Por sua vez, zona de desenvolvimento proximal é a área na qual a educação atua e que está em constante transformação, pois o nível até certo momento potencial, quando desenvolvido, passa a se integrar ao nível real, abrindo espaço para novos elementos potenciais – e assim sucessivamente.

Jacob Levy Moreno (1889-1974)

Além das contribuições metodológicas advindas do referencial moreniano para as práticas grupais, é preciso mencionar conceitos de extrema relevância para fortalecer a composição teórica da proposta pedagógica desenvolvida por Romaña. A metodologia de ação de Moreno fundamenta-se em seu projeto socionômico, que se organiza em três ramos: sociodinâmica, sociometria e sociatria.

Como vimos no capítulo anterior, os conceitos de *espontaneidade* e *criatividade* sustentam fortemente a proposta psicodramática e permitem a composição de ações pedagógicas constantemente novas. A espontaneidade e a criatividade libertam os comportamentos da rigidez e da convencionalidade sem torná-los aleatórios ou abusivos, uma vez que uma das principais características da espontaneidade é a adequação, permitindo a saúde da interação e a continuidade da ação. Apresentam-se ainda como características da espontaneidade a qualidade dramática, a originalidade e a criatividade (Moreno, 1975).

É importante destacar o conceito de *tele*, que opera nas relações e permite a compreensão do desenvolvimento dos processos relacionais e de seu grau de saúde. Norteia a manifestação de aproximação ou rejeição entre as pessoas; está ligado à percepção, porém sem se reduzir a ela. Trata-se de um fenômeno objetivo que envolve a empatia.

A *teoria de papéis* ganha relevância por permitir a compreensão do *eu*, de sua organização e estrutura. O *eu* se origina do desenvolvimento de nossos papéis. Os papéis sociais são aqueles que nos ligam a outras pessoas por meio dos vínculos que estabelecemos com os papéis complementares. Especificamente, a teoria de papéis permite a observação e a compreensão das interações estabelecidas entre os papéis de professor-educando e educando-educando, entre outros.

Contamos ainda com a *matriz de identidade*, teoria que trabalha o desenvolvimento infantil na abordagem psicodramática explicando como se forma a identidade psicossocial da criança e contribuindo para a compreensão do funcionamento do adulto. Esse processo de desenvolvimento divide-se em três etapas: identidade do eu, reconhecimento do eu e reconhecimento do tu. Cada etapa é marcada por características específicas que norteiam a maneira como o indivíduo estabelece suas interações.

Tal como descreve Alicia, não há aqui a intenção de apresentar uma correlação entre esses três autores; o leitor poderá fazê-lo se achar necessário. No entanto, percebemos a sintonia e as possibilidades de complementação entre eles. Propostas libertadoras, de ampliação da consciência, de recuperação da espontaneidade--criatividade e do protagonismo de sua história estão presentes em seus escritos. A valorização do momento presente, da intersubjetividade, do ser humano em relação, de processos de coconstrução e do pensar e agir certo são premissas nos trabalhos desses autores.

Após todo esse caminho percorrido, acrescido de práticas e reflexões, Maria Alicia compreende que a melhor denominação para sua proposta é *pedagogia psicodramática*.

Com base no gráfico apresentado por Romaña (2004, p. 37), podemos complementar e sintetizar o histórico dessa referência, conforme o Quadro 5.

Quadro 5 – Linha do tempo da pedagogia psicodramática	
Ano	Denominação
1963-1968	Técnicas psicodramáticas aplicadas à educação
1969	Método educacional psicodramático (MEP)
1970	Psicodrama pedagógico (MEP + *role-playing*)
1995-2004	Pedagogia do drama
2005	Pedagogia psicodramática

Fonte: Elaborado pela autora.

Em 2005, Alicia retornou à Argentina, sua terra natal, onde continuou trabalhando e desenvolveu o psicodrama com educadoras da região de Santa Rosa de Calamuchita (província de Córdoba).

Em 2009, publicou seu único livro em espanhol, e em 2010 organizou o Encuentro de Pedagogía Psicodramática del Valle de Calamuchita, cujas atividades foram realizadas por meio de uma parceria entre argentinos e brasileiros.

Deixou-nos em 20 de setembro de 2012, mas sua sabedoria, seus exemplos e ensinamentos continuam presentes em suas publicações e naqueles que tiveram o prazer de conhecê-la e de aprender com ela.

Uma mulher singular, intensa, incansável profissional, forte, criativa, generosa e humilde, que primava pela ética, pela equidade e pela democracia.

REFERÊNCIAS

MALAQUIAS, M. C. "Teoria dos grupos e sociatria". In: NERY, M. P.; CONCEIÇÃO, I. G. (orgs.). *Intervenções grupais – O psicodrama e seus métodos*. São Paulo: Ágora, 2011, p. 18-36.

MORENO, J. L. *Psicodrama*. São Paulo: Cultrix, 1975.

ROJAS-BERMÚDEZ, J. G. R. *Introdução ao psicodrama*. São Paulo: Ágora, 2016.

ROMAÑA, M. A. *Construção coletiva do conhecimento através do psicodrama*. Campinas: Papirus, 1992.

_____. *Do psicodrama pedagógico à pedagogia do drama*. Campinas: Papirus, 1996.

_____. *Pedagogia do drama – 8 perguntas & 3 relatos*. São Paulo: Casa do Psicólogo, 2004.

_____. *Pedagogía psicodramática y educación consciente – Mapa de un accionar educativo*. Buenos Aires: Lugar Editorial, 2009.

_____. *Pedagogia psicodramática e educação consciente – Mapa de um acionar educativo*. Campo Grande: Entre Nós, 2019.

_____. *Psicodrama pedagógico*. Campinas: Papirus, 1985/1987.

3. A PEDAGOGIA PSICODRAMÁTICA E AS METODOLOGIAS ATIVAS

Maisa Helena Altarugio

> *Os métodos, ou as técnicas didáticas, são mais*
> *formativos do que normalmente se pensa.*
> (Romaña, 1996)

Quem lê as obras de Maria Alicia Romaña percebe nitidamente a relação entre a pedagogia psicodramática e as metodologias ativas de ensino e aprendizagem. Isso se demonstra em sua preocupação com o desenvolvimento de capacidades humanas ligadas ao agir, pensar e sentir, cada vez mais necessárias ao indivíduo – não apenas para que ele participe da vida escolar, mas da vida em sociedade, da vida em relação. Mesmo que o *encontro* entre a pedagogia psicodramática e as metodologias ativas seja visível aos leitores que transitam entre essas referências, é possível que não seja assim para todos os que nos leem *aqui e agora*. Por isso, vale a pena enfatizar alguns aspectos de que elas comungam pelo viés do meu olhar peculiar e apaixonado de educadora, pesquisadora e psicodramatista.

Os métodos ativos de ensino e aprendizagem, como proposta educativa, assim como a pedagogia psicodramática, pressupõem o vínculo entre os saberes escolares formais e as experiências de vida que os estudantes carregam. E esse vínculo é alcançado mediante o exercício da capacidade de agir, pensar e sentir sobre o que se aprende para que o conhecimento faça sentido dentro e fora da escola.

No desenvolvimento e no exercício dessas capacidades, considerando o âmbito escolar, o método tem papel fundamental. Afinal, se ele é passivo, de acordo com Maria Alicia, o aluno não coloca nada de si no processo que o leva à aquisição do conhecimento; se ele é ativo, porém, o aluno participa ativamente, cria seu caminho. Mas o método não faz nada por si só: ele acontece enquanto permeia a relação entre o professor, o estudante e o conhecimento. Não há sentido em uma educação em que professor, aluno e conhecimento estejam isolados *do* método e *no* método.

Tanto os métodos ativos quanto a pedagogia psicodramática exigem, para funcionar, máxima *interação* entre estes três agentes: o professor, o aluno e o conhecimento. Essa interação é fundamental, demanda uma proximidade do tipo "olho no olho", quase um "encontro de dois", como diria Moreno. Nesse encontro, esses agentes se entregam à vontade de estar e caminhar juntos, de unir suas intenções, seus desejos, culminando em uma comunicação em cumplicidade e harmonia. O método é o que liga tudo isso.

Por isso é simplório pensarmos que metodologias ativas tratem apenas de um conjunto de estratégias para ensinar; na verdade, é muito mais do que isso. Paulo Freire, um dos autores que dão suporte à construção teórica de Maria Alicia, chama essa interação de *diálogo*, ferramenta pela qual professor, aluno e conhecimento se articulam e estabelecem as relações educativas que realmente importam, aquelas que geram transformação.

A transformação que é almejada por uma educação ativa é buscada, desejada, trabalhada, exige esforço, atenção, ação. Alcançar o conhecimento, nesse sentido, demanda busca ativa, tanto por parte do professor quanto do aluno, por isso não é trivial. Exige um mergulho profundo nos saberes, demanda criatividade e abandono das *conservas* que amarram os sujeitos em saberes superficiais, racionais, concretos e aparentes. Transformar um sujeito pela educação, na linguagem da pedagogia psicodramática, seria entrar no território das metáforas, da intuição, do desvelamento do oculto, de um novo discernimento sobre a realidade, das novas descobertas, das novas respostas. Enfim, do que Moreno chama de *espontaneidade*.

O professor, o aluno, o conhecimento e os métodos ativos na pedagogia psicodramática

Maria Alicia (Romaña, 1996, p. 47) dizia que não havia nada de novo na metodologia psicodramática, pois estava assentada na maiêutica, que "corresponde à arte de perguntar, de situar o aluno diante de um problema a ser resolvido para que ele encontre a resposta adequada". Portanto, deve-se reconhecer que o aluno traz um conhecimento próprio, validado por suas experiências. Porém, no caso da metodologia psicodramática, trata-se de ajudá-lo a colocar para fora o que sabe, libertá-lo, e isso pode ser feito por meio das *dramatizações*.

As metodologias ativas, que pressupõem capacitar educandos para exercerem a *autonomia* e o *protagonismo* na construção do seu conhecimento, encontram na pedagogia psicodramática o pleno exercício dessas capacidades nas dramatizações. Nelas, o aluno *vive* o conhecimento, cria e recria continuamente, ao mesmo tempo descobrindo, dando sentido e funcionalidade a esse conhecimento. Além disso, a dramatização, ferramenta poderosa, utiliza-o de uma forma que rompe a estrutura livresca e tradicional de aprender.

Os livros, assim como os cadernos, o giz, a lousa e outros materiais de ensino, fazem parte da cultura escolar e simbolizam o modo tradicional de ensinar e aprender. Seu uso corrente pelos professores os torna *conservas culturais*, na medida em que se deposita neles pouca criatividade e imaginação. Moreno não despreza as conservas culturais – ao contrário, afirma que elas são a base da formação da vida humana em sociedade –, porém alerta para o fato de que elas podem cristalizar as posições, os pensamentos e as ações, ocasionando perda de espontaneidade.

Precisamos compreender, contudo, que os métodos ativos não demonizam livros ou conhecimentos já consolidados em nossa cultura escolar, mas prezam por uma forma inovadora de acessar e manipular esses instrumentos para que não se transformem em obstáculos nos processos e atos criadores de alunos e professores. Maria Alicia (Romaña, 1985; 1996) dizia que o aluno *aprende em relação a objetos e conceitos concretos* dos quais precisa se aproximar em um primeiro momento. Ela entende que esses objetos e conceitos são apenas o ponto de partida para uma atividade mais ampla, com sentido e com potencial transformadores.

Vigotski, psicólogo cuja teoria de desenvolvimento humano também está presente na construção da pedagogia psicodramática, aparentemente não tem relação com métodos ativos. Mas, assim como Maria Alicia e Paulo Freire, ele se preocupa com a transformação do indivíduo, baseando-se na superação e no avanço em níveis cada vez mais complexos de pensamento. Sua teoria psicológica aposta no desenvolvimento humano, e cada passo tem o apoio de *mediadores*, que são justamente os objetos e conceitos criados pelo homem, ou seja, as conservas de que já falamos. Na escola, com a ajuda dos professores e dos colegas, que também são tidos como mediadores, os aprendizes são capazes de alcançar o conhecimento novo, as respostas novas e espontâneas em seu tempo e espaço.

Mais uma vez as dramatizações, como essência do método ativo da pedagogia psicodramática, desempenham importante papel no manejo do conhecimento, pois estão baseadas na linguagem simbólica veiculada nas *composições psicodramáticas* propostas por Maria Alicia (Romaña, 2004). Por meio do teatro espontâneo, da metodologia educacional psicodramática, dos jogos dramáticos e do jornal vivo, por exemplo, os estudantes aprendem a elaborar respostas novas para determinado fenômeno "mediados" por elementos de sua cultura, de suas vivências, dando novo *status* para seu conhecimento. Assim, desenvolvem habilidades que ultrapassam aquelas que já têm, em certo nível psíquico e cognitivo, para alcançar um patamar superior de pensamento, de acordo com Vygotsky (1991).

Se o conhecimento pode e deve ser trabalhado de diferentes formas na pedagogia psicodramática, por meio das composições psicodramáticas, o papel do professor nesse contexto também exigirá um cuidado especial, pois ele necessitará de treinamento para trabalhar com o método. Paulo Freire (1996) dizia que *ensinar não é transferir conhecimento*, sobretudo quando se trata de metodologias ativas. O professor não foi capacitado para agir, pensar e sentir livremente sua prática; ao contrário, aprendeu a seguir normas, regras e materiais prontos. No entanto, se não buscar os saberes necessários a uma prática libertadora, emancipadora e transformadora, como poderá trazer perguntas que agucem a curiosidade e a criatividade dos alunos para buscar as respostas? Como poderá estimulá-los a superar a passividade, a agir como sujeitos de sua construção?

Na pedagogia psicodramática como metodologia ativa, o professor tem a responsabilidade de promover a problematização e a reflexão dos conteúdos de aprendizagem, mas não só quando pensa nos alunos. Deve fazer isso pensando em sua própria prática, questionando-a, imaginando-a, testando e desafiando seus limites. De acordo com Maria Alicia, os professores têm dificuldade com essas questões porque sua formação idealiza demais a profissão. Não os prepara para surpreender ou ser surpreendidos.

Para ela, os educadores devem ser preparados para ir além da sua intuição e dos modelos que os formaram, das fórmulas ou das receitas prontas. O treinamento de professores para o desenvolvimento de seu papel profissional é fundamental para fazê-los tomar consciência das próprias fragilidades, das limitações de sua tarefa, mas também para explorar outras formas de inovar seu trabalho, sem medo dos resultados.

Quando falamos no desenvolvimento do papel de professor na concepção da pedagogia psicodramática, evidentemente que não podemos fugir ao método psicodramático, ou seja, não caberia aqui uma formação tradicional. Nesse caso, o *role-playing*, que também faz uso da dramatização, é o método que Maria Alicia escolheu para tratar temas da formação docente, como conflitos reais e bastante comuns na vivência do professor – relações de autoridade, relações interpessoais, indisciplina, afetividade, avaliação e tantas quantas forem as situações que os docentes enfrentem no protagonismo do seu papel.

Quando Maria Alicia pensa na aprendizagem como método ativo, também pensa no papel do aluno, em como ele aprende. A autora afirma que *o aluno não aprende sozinho* (Romaña, 1985; 1996); tanto ele como seu grupo de colegas devem colaborar para alcançar o conhecimento. E isso pressupõe, segundo ela, que o grupo encontre formas de se elevar como coletivo, superando ativamente as dificuldades que encontra no caminho rumo ao novo conhecimento. Sobre isso, Paulo Freire (1996) esclarece que o professor também tem a sua responsabilidade, pois, estando consciente do limite de suas ações, sobretudo de suas práticas autoritárias, deve abrir as portas do conhecimento para seus alunos, a fim de não *amesquinhar* o direito deles à curiosidade e à inquietação.

Enquanto o aluno caminha ativamente rumo ao novo conhecimento, munido de curiosidade e inquietação, Maria Alicia (Romaña, 1985; 1996) nos ensina que ele *elabora, além de uma ideia, também uma imagem*. Em outro momento, a autora destaca *as sensações* como elemento auxiliar na elaboração de tais ideias e imagens. E novamente confirmamos as vantagens das dramatizações como ferramenta nos métodos ativos, pois permitem aos alunos evidenciem *no corpo* as sensações que demonstram sua relação com o conhecimento, seja ela agradável ou dolorosa, clara ou enevoada. À medida que o aluno encena, a imagem ainda não muito bem definida daquele conhecimento torna-se mais nítida, e ele será capaz de simbolizá-la e de formar uma ideia acerca do que aprendeu. Uma ideia que é criação sua, porque o estudante imprimiu nela o seu significado, e não o do livro ou de outros materiais adotados pelo professor. Nesse momento, o aluno, que é o protagonista, apropria-se do conteúdo aprendido.

Considerações finais

A metodologia ativa presente na pedagogia psicodramática de Maria Alicia Romaña tem muito a contribuir para a formação de indivíduos participantes da sociedade, pois vai além da dimensão cognitiva, intelectual e racional que habitualmente (e infelizmente) vemos nas práticas escolares. Isso porque o agir, o pensar e o sentir, que são a marca de sua pedagogia, levam em conta o aluno em sua forma integral e integrada.

Maria Alicia conseguiu, sem perder a essência da teoria moreniana, reunir a alma das teorias mais significativas do campo do desenvolvimento e da aprendizagem em uma pedagogia acessível, eficaz e moderna. Cabe a nós, nesta obra, propagar os ensinamentos que ela nos deixou.

Referências

Freire, P. *Pedagogia da autonomia – Saberes necessários à prática educativa.* Rio de Janeiro: Paz e Terra, 1996.
Romaña, M. A. *Do psicodrama pedagógico à pedagogia do drama.* Campinas: Papirus, 1996.
_____. *Pedagogia do drama – 8 perguntas & 3 relatos.* São Paulo: Casa do Psicólogo, 2004.
_____. *Psicodrama pedagógico.* Campinas: Papirus, 1985.
Vygotsky, L. S. *A formação social da mente.* São Paulo: Martins Fontes, 1991.

4. O PSICODRAMA PEDAGÓGICO REVELANDO O PAPEL SOCIAL E PSICODRAMÁTICO DO PROFESSOR*

Maisa Helena Altarugio
Maria Aparecida Fernandes Martin

O ambiente escolar está repleto de situações conservadas, diante das quais os indivíduos perdem a espontaneidade. Segundo Moreno, espontaneidade é a capacidade de dar uma resposta nova para uma situação antiga. Nesse contexto, se as conservas não forem reavaliadas de tempos em tempos, podem se transformar em obstáculos para o enfrentamento das questões que se apresentam no cotidiano – inclusive comprometendo, desgastando e até mesmo subvertendo o papel social do professor.

As contínuas tentativas de inovação no contexto escolar, o que inclui as mudanças curriculares e a introdução de novos materiais didáticos e metodologias de ensino e aprendizagem, sempre são muito louváveis. Porém, na maioria das vezes os atores que manejarão esses elementos, no caso os professores, não passam pela preparação necessária para fazê-lo. E não se trata aqui apenas de treinamento, formação ou capacitação para a utilização de novos recursos; trata-se, antes, de desenvolver o ser humano para ser capaz de perceber-se, perceber o outro e transformar-se, para então saber agir em contextos novos. Assim, entendemos que o contexto educacional é, na atualidade, um dos mais carentes em ações de desenvolvimento humano e profissional.

A experiência que será relatada aqui partiu da necessidade de problematizar o papel do professor diante das ações conservadas em situações cotidianas do contexto escolar. Para tanto, contou-se com a ajuda do método educacional psicodramático (MEP), em um exercício de espontaneidade e criatividade que buscou construir respostas novas para situações antigas.

Trata-se, ao mesmo tempo, de um *role-playing* do papel do educador, pois havia também o objetivo de auxiliar os participantes a tomar consciência e a refletir sobre seu papel e sobre o poder de interferência em seu meio. Entendemos que esse trabalho vai ao encontro da concepção de psicodrama pedagógico de Maria Alicia Romaña.

---

* Trabalho apresentado no 22º Congresso Brasileiro de Psicodrama (2020) e ganhador do prêmio Febrap na categoria 2, alunos de nível I e II (cursando). Artigo inédito.

O objetivo geral deste trabalho é realizar uma análise dos papéis sociais e psi-codramáticos de professores e futuros professores que emergiram de uma vivên-cia com o MEP. Como objetivos específicos, propomo-nos a identificar situações conservadas dentro do contexto escolar, ajudar os participantes a buscar respostas novas para as situações antigas apresentadas e refletir sobre o papel do professor nesse contexto.

Discutiremos os dados coletados à luz de conceitos morenianos fundamen-tais – conserva cultural, espontaneidade e criatividade –, da teoria de papéis, dos ensinamentos de Maria Alicia Romaña, além de outros psicodramatistas; oportu-namente, traremos os nomes de outros autores que tratam da formação de profes-sores e da reflexão sobre as práticas docentes.

Fundamentação teórica

Para Moreno, o homem nasce espontâneo e criativo e deixa de sê-lo devido a fato-res socioculturais. Um mínimo de *espontaneidade* – "resposta do indivíduo a uma nova situação e a nova resposta a uma antiga situação" (Moreno, 2013, p. 101) – *criatividade* e *adequação* (adaptação, ajuste) são comportamentos exigidos de um bebê assim que ele nasce para que sobreviva.

Gonçalves, Wolff e Almeida (1988, p. 47) redefinem espontaneidade como "ca-pacidade de agir de modo 'adequado' diante de situações novas, criando uma respos-ta inédita ou renovadora ou, ainda, transformadora de situações preestabelecidas".

Porém, a cultura é mantenedora das práticas convergentes que conservam as ações, os pensamentos e os afetos dos indivíduos. Moreno denominou *conserva cultural* todos os objetos materiais (livros, obras de arte, artefatos tecnológicos), comportamentos, usos e costumes de dada cultura que são resultado de um pro-cesso de criação, mas se mantêm idênticos, cristalizados no tempo (Gonçalves, Wolff e Almeida, 1988).

No entanto, Moreno se propõe a reavaliar as conservas a partir do momento em que observa o declínio da função criadora do homem ao enfrentar os proble-mas de seu tempo. Para ele, as conservas culturais constituem somente o ponto de partida e a base da ação, sob pena de se transformarem em obstáculos para a manifestação da criatividade e da espontaneidade.

Segundo Moreno (2013), o homem assume vários papéis durante a vida: pro-fissional, social, familiar, institucional etc. Todo papel é uma fusão de elementos privados e coletivos, ou seja, é constituído pela singularidade do agente – de suas experiências individuais – e pela sua inserção na vida social. Levando em conta que a identidade de um indivíduo é formada com base em suas interações sociais, os papéis por ele desenvolvidos ao longo da vida são todos complementares, ou seja, não existe o papel de mãe sem o papel de filho, não existe o papel de professor sem o papel de aluno.

De acordo com Moreno, temos três tipos fundamentais de papel: o *psicossomático*, o *social* e o *psicodramático*. O papel psicossomático expressa a dimensão fisiológica do ser; o papel social expressa a dimensão social e se refere às funções assumidas pelo indivíduo na sociedade em que vive; o papel psicodramático, por sua vez, expressa a dimensão psicológica do eu, referindo-se a todos aqueles papéis que surgem da atividade criadora do indivíduo.

Os papéis sociais estão intimamente relacionados com os papéis psicodramáticos, pois estes últimos se realizam por meio dos primeiros. Segundo Rojas-Bermúdez (1980), a dimensão psicológica do eu – que é construída e revelada pelo sentimento de realização e de satisfação pessoal no exercício criativo dos papéis sociais fixos e rotineiros – conduz o indivíduo ao progresso do eu. Entretanto, se o exercício diário dos papéis sociais, que demanda esforços e comprometimento, levar o indivíduo a insatisfações constantes, ao sentimento de fracasso e de inutilidade, isso pode provocar o empobrecimento do eu e, em consequência, a busca de compensação na fantasia e em identificações projetivas (personagens de teatro, cinema, televisão).

Ao contrário do papel social, no qual, segundo Moreno, opera predominantemente *a função de realidade*, o papel psicodramático opera predominantemente na *fantasia*. Embora ambos mantenham entre si uma tensão dinâmica, os papéis psicodramáticos podem sofrer transformações ao longo da vida. Na ação dramática, que é uma experiência no "como se", o indivíduo tem a oportunidade de reconhecer as fantasias investidas em seu papel, sobretudo nos papéis idealizados ou irrealizáveis.

Dentro do contexto escolar, Gonçalves, Wolff e Almeida (1988) apresentam um ótimo exemplo de papel irrealizável de professor, o "sabe-tudo", alegando que um indivíduo inconscientemente comprometido com esse papel irrealizável – *unidade cristalizada de fantasia*, pois *ninguém sabe tudo* – bloqueia sua espontaneidade no cotidiano e ainda se mantém preso a uma fonte de ansiedade e frustração. Esse cenário pode dificultar que o indivíduo modifique o papel psicodramático, desprenda-se dele e escolha ou desenvolva um mais adequado.

Por outro lado, Naffah Neto (1997) entende que não há necessariamente uma contraposição ou uma clivagem entre papéis sociais e psicodramáticos, defendendo que estes últimos seriam a expressão do "potencial criativo do sujeito, e como tal a concretização da imaginação criadora possibilitada e catalisada pela espontaneidade" (p. 211).

De qualquer forma, tanto o sociodrama, no nível dos conflitos grupais, quanto o psicodrama, nos conflitos pessoais, podem ajudar o indivíduo a investigar esses papéis e ajustá-los, se for o caso, balizado pelas consequências da interação entre sua imaginação e sua ação no mundo.

Métodos

O público-alvo do trabalho (sujeitos da pesquisa) foi composto de duas categorias: professores (3) e alunos graduandos (17), todos bolsistas de um programa de formação de professores das áreas de ciências biológicas e química viabilizado por uma universidade pública paulista. As informações que caracterizam o perfil dos participantes foram coletadas por meio de um questionário em formulário Google Forms.

A fim de atender às questões éticas relativas à pesquisa científica acadêmica, nesse questionário também foi coletada a autorização dos participantes para a publicação das falas e das imagens.

Segundo a teoria da sociatria, o método adotado na experiência que relataremos aqui corresponde ao método educacional psicodramático, de Maria Alicia Romaña. A vivência foi desenvolvida em uma única sessão, portanto um ato sociodramático, com duração total de duas horas e meia.

O procedimento seguiu as três etapas da sessão sociátrica (Malaquias, 2012):

- O *aquecimento*, conjunto de procedimentos que prepara o indivíduo para a ação e está dividido em dois tipos: *inespecífico,* no qual se realizam atividades que centralizam a atenção do grupo e promovem a interação de seus participantes, e *específico*, que prepara o grupo ou protagonista para a ação dramática.
- A *dramatização*, núcleo do psicodrama, na qual o material ou tema trazido pelo protagonista ou grupo é encenado e tratado com as técnicas psicodramáticas. Nesse caso, os três passos do MEP foram introduzidos no núcleo central.
- O *compartilhamento*, quando se dão os comentários e as impressões acerca dos sentimentos despertados.

O MEP como núcleo da dramatização foi escolhido nessa pesquisa por consistir em uma metodologia ativa que, além de trabalhar conteúdos, permitiu tratar do papel de educador. Para Romaña (1985, p. 48), é por meio do *role-playing* que o futuro professor tem a oportunidade de "elaborar suas expectativas e temores [...]; toma consciência também de suas idealizações com relação à futura profissão; e percebe [...] os limites de sua tarefa enquanto educador", além de se propor a desenvolver a consciência crítica e reflexiva de seus atores para obter a compreensão do mundo e de suas contingências com autonomia e compromisso (Romaña, 2004).

Detalhando um pouco mais os três passos do MEP, tal como foi aplicado no caso dessa pesquisa, temos:

- *Primeiro passo (real)*: a aproximação dos participantes com o conhecimento no nível de suas experiências reais e pessoais, intuitivas e/ou afetivas deu-se por meio da seguinte consigna: *considerando cenas do cotidiano escolar, cada grupo deve construir uma imagem que retrate uma situação antiga e a respectiva resposta conservada.*
- *Segundo passo (simbólico)*: ocorre quando os alunos deixam o terreno da realidade e partem para a abstração. Nesse momento, eles realizam o esforço racional de síntese, alcançando um nível maior do ponto de vista da aprendizagem. A diretora deu a seguinte consigna nesse passo: *cada grupo deverá buscar referências simbólicas (personagens) ou memes para representar a situação retratada pela imagem.*
- *Terceiro passo (imaginário)*: os participantes colocam à prova o conhecimento sobre o qual se está trabalhando, tornando-o funcional, aplicável. A dramatização ocorre no nível da fantasia, do imaginário, em que se buscam novas associações com base no conhecimento adquirido e incorporado nos passos anteriores. Para executar esse passo, a diretora deu a seguinte consigna: *cada grupo vai imaginar e elaborar uma resposta nova para a situação antiga, construindo uma nova imagem.*

A *construção de imagens* (real e simbólica) – ou seja, uma reprodução fotográfica (foto, ou cena congelada) – foi o instrumento escolhido para dramatizar o momento crucial das situações escolares cotidianas. A diretora da sessão explorou todas as imagens construídas pelos subgrupos para revelar o que os personagens estavam pensando, ora usando a técnica do *solilóquio*, dando voz aos personagens da cena ou à plateia, ora usando *o duplo*, quando os personagens tinham dificuldade para expressar seus pensamentos ou sentimentos.

Os dados foram coletados por meio de videogravações e fotos da vivência, os quais constituíram o material de análise. A análise dos dados foi realizada por meio da observação da sequência das etapas da sessão, com mais atenção ao núcleo central, ou seja, aos passos do MEP. A análise qualitativa dos dados foi feita com o apoio de referenciais teóricos do psicodrama e, oportunamente, também do campo da educação – especificamente, da formação de professores.

Resultados e discussão

Aquecimento inespecífico e específico

O aquecimento inespecífico foi realizado em clima de bastante descontração, por meio do iniciador físico, primeiramente com movimentos corporais de relaxamento que auxiliassem o grupo na transição do *contexto social* para *o grupal*. O aquecimento específico consistiu em introduzir o grupo no tema da sessão (situações conservadas), provocando o surgimento de situações rotineiras (antigas), fora do contexto escolar, vividas pelos participantes e as respectivas respostas (antigas) para essas situações, ainda com movimentos corporais. Surgiram situações como o movimento de sair da cama pela manhã e o movimento de chegar em casa depois de um dia de trabalho e estudo.

Dramatização: método educacional psicodramático

A partir desse momento, todos os passos do MEP foram realizados em três pequenos grupos, nomeados pelos próprios participantes: *Prô, pode í ao banhero?* (Grupo A), *Bom dia!* (Grupo B) e *Guarda já o celular* (Grupo C). Cada um desses nomes se originou das situações conservadas trazidas pelas imagens.

Primeiro passo: o real

As imagens construídas pelos grupos correspondem a três situações comuns do cotidiano escolar nas quais, basicamente, há dois papéis sociais sendo desempenhados: o de professor e o de aluno, ou seja, papel e contrapapel. Da mesma forma, nas três cenas podemos encontrar os papéis psicodramáticos de professor e de aluno, sendo o de aluno comumente "aquele que não estuda", "o desinteressado", "aquele que tenta enganar o professor", "o injustiçado", "o aluno-problema", "o limitado", mas existe também "o dedicado", "o esforçado", "o exemplar". O professor, por sua vez, é "o bonzinho", "o autoritário", "o chato", "o bobo".

Papéis psicodramáticos conservados como esses são facilmente reconhecíveis, a começar pelo *modus operandi* que revelam em suas condutas. Isso significa, nas palavras de Moreno (2013), que os papéis são atuados, aparecem nas ações, podem ser observados – ou seja, são assumidos "no momento específico em que reagem a uma situação específica, na qual outras pessoas e objetos estão envolvidos" (p. 27).

De acordo com Naffah Neto (1997, p. 197), os papéis sociais aqui representados carregam "os nós cristalizados de uma rede interior da qual se camufla o drama coletivo", permitindo a identificação de uma dinâmica microssocial.

No caso da formação de futuros professores, a tomada de consciência, ou o reconhecimento dos papéis sociais e dos papéis psicodramáticos, é fundamental para que o docente tenha condições de, durante o exercício de sua profissão, transformar-se e funcionar de forma mais espontânea dentro de seu papel. E será exatamente durante o treinamento de papéis – ou seja, começando pelo *role-taking* e passando pelo *role-playing* desde a formação acadêmica – que se poderá chegar ao *role-creating*, ou seja, "algo que vai se passando desde os primórdios da incorporação de um modelo de papel pronto e legitimado pelo corpo/contexto social" até "a criação nesse papel", vivenciando "um tensionamento entre o instituído e sua transformação singular" (Dedomenico, 2013, p. 91).

Segundo passo: o simbólico

Nesse segundo passo, os grupos apresentam, em suas simbolizações, uma síntese conceitual dos papéis sociais de professor e de aluno. Basicamente, temos um professor "perdido" (Grupo A), alunos "Garfield" (Grupo B) e "relações truncadas" entre professor e seus alunos (Grupo C).

À luz da teoria de papéis, essa conceituação para os papéis sociais de professor e de aluno, na verdade, emergem dos papéis psicodramáticos que são fortemente desempenhados por seus atores. É como se, no solo diário da sala de aula, professores e alunos operassem de maneira muito mais convincente *na fantasia* do que *na realidade*. E se, em alguma medida, a fantasia torna-se muito maior do que a realidade, isso significa que os indivíduos passam a pensar e agir no "como se".

A discussão que surge é: por que professores e alunos optam por viver seus papéis na fantasia? Uma hipótese plausível estaria no simples fato de que os indivíduos nem sempre sabem ou conseguem lidar com a realidade que se apresenta diante deles.

Voltando para a teoria de papéis, quanto mais a *fantasia* e o "como se" encobrem a *realidade*, maior a distância e a distorção entre o papel social e o papel psicodramático de professor. Hoje o docente quase já não se reconhece em sua função original.

Terceiro passo: o imaginário (fantasia)

No terceiro passo do psicodrama pedagógico, os participantes têm a oportunidade de dramatizar, no plano da imaginação, as possibilidades escolhidas para lidar com as situações surgidas no plano dramático do real (primeiro passo).

Segundo Romaña (1985), os docentes se formam carregando suas intuições, os estereótipos de professores que introjetaram com base em suas vivências como alunos e algumas fórmulas ou receitas de como deve ser um professor. Mas logo percebem a fragilidade desse modelo diante das exigências do papel.

Por isso Romaña (1985) defende o *role-playing* como treinamento e desenvolvimento do papel de professor, no qual ele descobre e compreende vários aspectos da docência, incluindo seus limites, seus potenciais, sua criatividade. O plano da imaginação (ou da fantasia) tem precisamente essa função.

Imaginar respostas novas para situações antigas, mesmo no plano da fantasia – tal como foi a proposta dessa vivência –, consiste em um exercício de resgate da espontaneidade, fundamental para todos os atores inseridos no contexto atual da educação, especialmente para o professor.

Não há dúvida de que a resposta nova foi atingida com muita criatividade. No entanto, um *role-playing* do papel de professor e de aluno exigiria um trabalho nessa cena a fim de alcançar a espontaneidade também do ponto de vista de sua adequação. Isso quer dizer que ser criativo e espontâneo não implica que os professores podem fazer qualquer coisa apenas para dar uma resposta "diferente". Em primeiro lugar, implica identificar e reconhecer os papéis psicodramáticos, ou fantasias, que habitam em suas práticas. Significa olhar-se no espelho de Moreno e perceber quais são as suas conservas, seja na forma de modelos, crenças ou como pensamentos e sentimentos que permeiam suas ações como docente.

O trabalho no plano imaginário revela-se extremamente importante para o desenvolvimento do papel de professor, pois é o momento que permite aos indivíduos sonharem e avaliarem as soluções propostas – sobretudo nos cursos de formação de professores, nos quais a dificuldade de inovar infelizmente ainda está presente, seja por resistência das instituições ou até mesmo do seu corpo docente (Altarugio e Capecchi, 2016).

Pelo que pudemos ver nas imagens construídas pelos participantes, essa imaginação existe, mas parece que ora joga a favor, ora joga contra o papel do professor. A dramatização vem justamente auxiliar o grupo a perceber esses momentos. Além disso, concordando com Naffah Neto (1997), a função da dramatização é reconstruir sentidos, recriando, por meio da ação espontânea, os papéis rigidamente desempenhados.

Compartilhamento

A diretora perguntou ao grupo de que maneira a atividade os afetou pessoalmente. Nas respostas, falou-se sobre a importância da tomada de consciência de si, começando, segundo os participantes, pelas "pequenas coisas"; "nas situações que a gente vive, nas coisas que a gente faz" e, depois, "na prática docente".

Alguns depoimentos nos apontaram o psicodrama como caminho promissor, pois é possível, para alguns alunos, "mudar depois de aulas que me fazem pensar" e "tomar diferentes atitudes". Outros depoimentos revelaram a percepção dos participantes com relação a situações cotidianas nas quais se pode "entrar" e "sair do automático". Em linguagem psicodramática, podemos entender essa preocupação como manter ou transformar práticas conservadas. No contexto educacional, convém nos apropriarmos das ideias de Romaña (1985) no sentido de defender as técnicas psicodramáticas e o *role-playing* na preparação de educadores.

Determinada aluna levantou uma dimensão do papel de professor que vai além de saber o conteúdo: a dimensão das relações interpessoais. Embora, segundo Carvalho e Gil-Pérez (2001), seja inegociável a importância de o professor dominar os conteúdos que ensina, sem o que ele se torna incapaz de inovar suas práticas, ainda assim é preciso lembrar do exemplo do professor *sabe-tudo* como papel irrealizável (Gonçalves, Wolff e Almeida, 1988).

No entanto, na visão moreniana, "fazer diferente" não basta como meta para atingir a espontaneidade. Para ser espontâneo e modificar a realidade insatisfatória na qual se está vivendo é preciso, antes de tudo, ser criativo, visto que não é possível apenas ignorar o que é real (Fernandes e Castro, 2018).

Considerações finais

Os resultados obtidos revelaram que os papéis psicodramáticos dos professores atuam fortemente nas situações escolares cotidianas, enquanto o papel social muitas vezes se perde em meio aos conflitos. No entanto, coletivamente, os participantes demonstraram ser capazes de encontrar soluções novas e muito criativas para situações diante das quais costumam se colocar de forma passiva e alienada.

Essas reflexões nos ajudaram a elaborar a conclusão do trabalho, no sentido de perceber que a tarefa de formar professores mais conscientes das condições de seu papel, de suas intercorrências, do que pode funcionar ou não, é tanto possível quanto é necessária.

É necessária porque é apenas tomando consciência de suas conservas docentes, de suas atuações enrijecidas, que os professores aprenderão a deixar de lutar sempre as mesmas batalhas, ou a lutar de outras formas as novas e as antigas batalhas. Eles precisam aprender a reconhecer seus papéis psicodramáticos, descobrir em que momentos podem jogar contra e a favor e saber questionar seus pensamentos, ações e sentimentos. Mas também precisam resgatar, com urgência, seu papel social, para que consigam exercer seu ofício com dignidade.

Assim, o resgate da espontaneidade e da criatividade no campo da educação é possível. Esse trabalho pode começar na formação inicial de professores, com o treinamento de papéis (*role-taking* e *role-playing*), e deve continuar ao longo da carreira (*role-creating*). Um desafio que inclui os formadores de professores, que precisam acreditar ser possível tornar o exercício da profissão mais saudável e satisfatório.

Referências

Altarugio, M. H.; Capecchi, M. C. M. Sociodrama pedagógico: uma proposta para a tomada de consciência e reflexão docente. *Alexandria*, v. 9, n. 1, maio 2016, 31-55.

Carvalho, A. M.; Gil-Pérez, D. "O saber e o saber fazer do professor". In: Castro, A. D.; Carvalho, A. M. P. *Ensinar a ensinar: didática para a escola fundamental e média*. São Paulo: Pioneira Thomson Learning, 2001, p. 107-124.

Dedomenico, A. M. A funcionalidade do conceito de papel. *Revista Brasileira de Psicodrama*, v. 21, n. 2, 2013, p. 81-92.

Fernandes, J. L.; Castro, A. A influência da prática do teatro no desenvolvimento da espontaneidade – Uma pesquisa com alunos de uma escola de teatro. *Revista Brasileira de Psicodrama*, v. 26, n. 2, 2018, p. 8-22.

Gonçalves, C. S.; Wolff, J. R.; Almeida, W. C. *Lições de psicodrama – Introdução ao pensamento de J. L. Moreno*. São Paulo: Ágora, 1988.

Malaquias, M. C. "Teoria dos grupos e sociatria". In: Nery, M. P.; Conceição, I. G. (orgs.) *Intervenções grupais – O psicodrama e seus métodos*. São Paulo: Ágora, 2012, p. 18-36.

Moreno, J. L. *Psicodrama*. 16. ed. São Paulo: Cultrix, 2013.

Naffah Neto, A. *Psicodrama – Descolonizando o imaginário*. São Paulo: Plexus, 1997.

Rojas-Bermúdez, J. G. *Introdução ao psicodrama*. 3. ed. São Paulo: Mestre Jou, 1980.

Romaña, M. A. *Psicodrama pedagógico – Método educacional psicodramático*. Campinas: Papirus, 1985.

_____. *Pedagogia do drama – 8 perguntas & 3 relatos*. São Paulo: Casa do Psicólogo, 2004.

5. Método educacional psicodramático – um passo a passo cuidadoso para o protagonismo do educando

Camila Tyrrell Tavares

Introdução

Nas tão faladas metodologias ativas, o princípio primário é o protagonismo do aluno em sala de aula. Nesse contexto, o educador passa a ser um facilitador da aprendizagem – alguém com competência para oferecer ambientes que proporcionem experiências diversificadas, contemplando as diversas formas de aprender dos educandos.

A importância da troca, da interação, da afetividade e dos vínculos já está comprovada pelos estudiosos da área da educação. Além disso, sabe-se que crianças e adultos aprendem de forma ativa, baseando-se no que é importante para eles, e a ação, seja ela ativa em reflexão ou em movimento, torna a aprendizagem mais significativa.

A pedagoga argentina Maria Alicia Romaña concebeu a pedagogia psicodramática, metodologia pautada na ação e na dramatização – mais precisamente no psicodrama, que pode ser considerado sua principal força. Ao longo de seu trabalho, estruturou o método educacional psicodramático (MEP), hoje presente na metodologia como composição psicodramática. Pretendemos aqui apresentar um modelo de aula e sua aplicação, correlacionando ponto a ponto a fim de elucidar cada passo e sua justificativa conforme o método.

Aula aplicada em ambiente virtual

O método educacional psicodramático foi a base para o planejamento e a aplicação de uma aula de Pedagogia Psicodramática na escola de Psicodrama Casa das Cenas de Uberlândia (MG), como um dos tópicos do módulo "Psicodrama Educacional: Aplicação do Psicodrama na Educação", conduzido pela professora Rosa Lídia Pacheco Pontes em setembro de 2021.

Plano de aula

Quadro 1 – Plano de aula			
Fase	Descrição	Recursos	Tempo
Aquecimento inespecífico	Movimentos de educador, do papel do professor; movimento de educador na vida. Ampliar o olhar e propor movimentos de relação educador-educando na vida.	Não se aplica.	15 minutos
Aquecimento específico	Perguntar ao grupo quem não conhece, já ouviu falar e conhece mais profundamente as personalidades apresentadas. Abrir para breves comentários sobre o que já ouviram falar, em que circunstâncias etc.	Fotos (*slides*) dos educadores Vigotski, Paulo Freire, Moreno e Maria Alicia.	10 minutos
	Separar os grupos por personagem. Serão quatro subgrupos, e cada um deverá ler o texto sobre o seu personagem nas salas tematizadas. Entregar um texto breve sobre cada tema, extraído da bibliografia de Romaña. Cada grupo debaterá o tema e se caracterizará (figurino) conforme a figura-tema.	Textos de Maria Alicia Romaña sobre os educadores (*link* do drive).	45 minutos
Dramatização	**Composição psicodramática – MEP**		
	Aproximação do nível real. Análise.	Realiza-se a conferência nacional de educadores, na qual "cada educador" (grupo) fala a respeito de suas contribuições para a educação.	Não se aplica.	30 minutos
	Aproximação do nível simbólico. Síntese.	Criar uma imagem que represente os elementos centrais de cada personagem. A imagem deverá ser criada pelo subgrupo todo na plenária.	Não se aplica.	10 minutos

	Aproximação do nível da fantasia. Generalização.	Todos juntos devem criar uma pedagogia com base nos elementos centrais de cada personagem em um Jamboard do Google (ver p. 55), cocriando.	Jamboard do Google previamente preparado.	30 minutos
Compartilhar		Compartilhamento sobre o trabalho e sobre como se sentiram.	Não se aplica.	20 minutos
Processamento		Apresentação de Maria Alicia e de sua estrutura metodológica, correlacionando-a com as etapas vivenciadas em aula.	*Slides* com conteúdos.	30 minutos

Fonte: elaborado pela autora.

Breve relato

Uma característica importante do planejamento da aula era o fato de que se tratava de um grupo heterogêneo, composto por educadores, psicólogos, estudantes de psicologia e uma futura professora de dança. A educadora já conhecia o grupo, pois havia atuado como ego auxiliar com ele em encontro anterior. Assim, já tinha algumas informações sobre o nível de conhecimento dos participantes quanto ao psicodrama. Como o conteúdo trabalhado não era de todo novo para eles, a educadora cuidou para que os que não conheciam absolutamente nada trabalhassem em grupo ao lado dos que já detinham algum conhecimento e forneceu dados para leitura e discussão dos temas.

A educadora iniciou propondo um aquecimento corporal, solicitando aos participantes que sugerissem movimentos que fizessem parte do dia a dia do educador. Uma participante sentada esticou o braço direito para trás, como se estivesse escrevendo em uma lousa. A educadora pediu que todos repetissem o movimento e que a partir dele o fossem ampliando lentamente para promover um alongamento do braço, sempre respeitando o próprio limite. Comentou que os alunos deveriam considerar os educadores canhotos, o que causou riso de alguns, e que então poderiam repetir a escrita nessa lousa ampliando novamente o movimento, agora com o braço esquerdo. Agradeceu e perguntou se mais alguém gostaria de propor um movimento do dia a dia do educador. Outros movimentos foram propostos, inclusive rebolar, pois "na vida do educador ele precisa ter flexibilidade". A educadora então ampliou o conceito de "educador", reconhecendo papéis que se assemelham em nosso cotidiano. Mais sugestões foram aparecendo, de tal forma que, em dado momento, estavam todos em pé acompanhando uma "aula de alongamento" proporcionada pela futura professora de dança.

Finalizado o exercício, a educadora compartilhou um *slide* com as imagens dos educadores que figuravam nesse trabalho: Maria Alicia Romaña, Paulo Freire, Lev Vigotski e J. L. Moreno, sem mostrar seus respectivos nomes. Perguntou quem os conhecia. Moreno foi reconhecido por alguns, Paulo Freire por outros, Vigotski por poucos e Maria Alicia praticamente não foi reconhecida, inclusive entre os estudantes de psicodrama presentes. Então, perguntou a quem os conhecia de que informações se lembravam. Alguns pontos foram compartilhados.

A educadora indagou: caso houvesse a possibilidade de escolherem uma sala com o nome do educador para conhecê-lo, em qual entrariam? Os alunos fizeram suas escolhas e foram flexíveis quando houve necessidade de mudar de sala, a fim de não esvaziar nenhuma delas, sempre contemplando a formação de grupos com pelo menos três pessoas.

Em seguida, a educadora orientou que acessassem o arquivo digital e verificassem se conseguiam abrir os documentos para leitura e discussão. Solicitou que, depois de estudarem por 30 minutos, utilizassem mais 10 para que todos os integrantes do grupo se caracterizassem como o educador estudado, a fim de que, ao retornarem, assumissem seu papel para participar de uma conferência nacional de educação. Seguiu-se.

A conferência foi aberta pela agora apresentadora (educadora no papel psicodramático), que recebeu os educadores (participantes no papel psicodramático) e explicou que o evento estava sendo transmitido ao vivo pelo YouTube, que muitos docentes estavam assistindo e que, pelo *chat*, já havia diversos cumprimentos e manifestações de que era uma honra recebê-los.

Quando começou a propor que falassem um pouco sobre suas teorias e contribuições para a educação, foi interrompida por um aluno. Este afirmou que gostaria de conversar e de se apresentar com seu professor Vigotski, porque eles haviam criado um exemplo de como é a aula. Encenaram então a relação educador-educando: o aluno perguntou o que era determinado objeto e Vigotski perguntou o que ele, aluno, achava que era. O aluno disse achar ser uma semente, mas não sabia de quê. Vigotski orientou o aluno a plantar a semente, passo a passo, esperaram a semente crescer e viram que a planta surgiu (apresentação realizada com elementos de cena: vaso, terra, água e planta). Receberam aplausos e passou-se à apresentação dos demais educadores, que compartilharam como estavam contribuindo para a educação. A fim de manter o grupo aquecido, a educadora ficou no papel de apresentadora da conferência e realizou perguntas aos educadores, proporcionando uma mediação com o conteúdo.

Depois que todos se apresentaram, encerrou-se a conferência. Houve 15 minutos de intervalo para que os participantes pudessem tirar figurinos e maquiagem e realizar uma pequena pausa de descanso.

Retornaram compartilhando a experiência com muita alegria, entusiasmados com o material estudado e com a dramatização. A educadora solicitou que produzissem uma imagem de todo o grupo que sintetizasse o que haviam compreendido sobre o que fora estudado até aquele momento. Fizeram a imagem, cada um a seu modo, expressando-se com o corpo. A maioria apresentou as duas mãos espalmadas para cima, em gesto de doação no sentido da câmera. A educadora pediu que observassem uns aos outros.

No momento seguinte, a educadora solicitou aos alunos que acessassem o *link* do Jamboard, ferramenta do Google pela qual se torna possível uma coconstrução visual com palavras, imagens e desenhos. O objetivo era que construíssem visualmente a pedagogia psicodramática da forma como imaginavam essa proposta. Acessaram a ferramenta e, por se tratar de uma experiência nova, dedicaram um tempo a conhecê-la, brincando com imagens e escritos até que, em determinado momento, iniciaram um processo de coconstrução, inclusive alinhando à comunicação, buscando contemplar os que desejavam uma proposta mais livre e outros que preferiam algo mais estruturado, confeccionando dois *slides* separados.

A educadora colheu, então, depoimentos sobre os resultados da experiência. Um relato em especial chamou a atenção: a participante disse ter ficado encantada com a proposta da Maria Alicia, e o fez citando o método e seus componentes, explicando-os com suas palavras.

Procedeu-se então a um rápido processamento da aula, quando a educadora correlacionou as etapas vivenciadas com o MEP.

Discussão: processamento teórico da prática realizada

Para que seja possível descrever ao leitor a aula aplicada com base no MEP, traçaremos um paralelo entre teoria e prática, a fim de clarear cada passo e sua justificativa conforme o método.

A construção do encontro seguiu a descrição de uma sessão de psicodrama, conforme Romaña (2004, p. 35) nos orienta: aquecimento (inespecífico e específico), dramatização e compartilhar. Cada uma dessas fases permite que o grupo vivencie a aprendizagem. O aquecimento garante a escolha correta do participante ou assunto protagônico. A dramatização, como fase ativa, proporciona uma pesquisa do assunto em foco, por meio das várias composições psicodramáticas possíveis. Já o compartilhar oferece ao participante a oportunidade de expor sensações, sentimentos e o que mais lhe interesse a respeito de sua experiência.

O aquecimento inespecífico, no qual se aplicou o alongamento corporal, foi realizado de forma que os participantes fizessem propostas de exercícios, aquecendo-os para o protagonismo e permitindo que começassem a identificar em si o que registram de memória sobre o desempenho do papel do professor no dia a dia. Indicando os movimentos corporais do professor, foram se aquecendo para o papel em si, além de ampliá-lo quando identificaram o papel de educador no mundo, em outros contextos que não só o da sala de aula – expandindo a visão sobre contextos de atuação e da própria sala. Ao se reconhecerem desempenhando o papel de professor em outros contextos, foram capazes de imaginar, conceber a própria sala de aula para além do espaço formal de educação.

O aquecimento específico levou os participantes a identificar o que já conheciam sobre o tema e a se aprofundar, tomando contato com os textos dos educadores na perspectiva da autora do método. Por meio de uma discussão em grupo, foram afetados pelo grupo, na presença do afeto que Maria Alicia tanto referencia, importante para tornar o conteúdo significativo.

Ao reler a teoria sobre o método, em que a etapa inicial da dramatização é a aproximação intuitivo-emotiva, Maria Alicia aponta que se deve permitir que o educando explore o que o já conhece sobre o assunto. Como nessa aula se identificou que nem todos os participantes conheciam os teóricos que seriam abordados, em vez de a própria educadora falar sobre eles, optou por fazê-lo no aquecimento específico, a fim de que absorvessem informações de forma mais significativa pela troca com o grupo. Isso foi possível principalmente pelas características do grupo em questão. Verificamos nessa proposta o convite à autonomia, vivenciada na relação eu-tu, com o exercício da liberdade na experiência da relação, conforme refere Pacheco (2012, p. 11); e à autorresponsabilidade pela aprendizagem com alto grau de liberdade. A intervenção da educadora nos subgrupos de estudo não foi necessária.

Na etapa da dramatização, escolheu-se o método educacional psicodramático como composição psicodramática. Seguiram-se os passos conforme descrito no método, passando pelos três planos de dramatização – real, simbólico e fantasia –, a fim de exercitar a análise, a síntese e a generalização. Isso proporcionou a aproximação com o conteúdo pelos níveis intuitivo-emotivo, racional ou conceitual e funcional.

O nível de realização psicodramática – *dramatização real* – contou com uma dramatização que apresentou os expoentes teóricos e a autora do método. De forma lúdica, os participantes assumiram os papéis dos educadores estudados, compartilharam os aprendizados e puderam entrar em contato com as teorias analisadas pelos outros subgrupos. Ao se colocarem no papel e exporem suas ideias em um ambiente descontraído, realizaram a *análise* dos conceitos e principais elementos presentes na metodologia. Esse primeiro momento ocorreu no plano real, com a análise das teorias propostas por esses educadores, considerando o conhecimento já existente no educando, no *nível de aproximação intuitivo-emotiva* ao conteúdo. Durante a exposição dos conteúdos teóricos por parte dos participantes, a educadora interveio para manter o grupo aquecido, realizando perguntas para mediar a aprendizagem.

A *dramatização simbólica* sintetizou o entendimento sobre a essência da proposta desses educadores, sobretudo a de Maria Alicia, que foi responsável pela "costura" dessas teorias. É possível reconhecer que não só os conceitos mostravam-se presentes como os sentimentos dos participantes estavam acolhidos durante a etapa. Aqui, o exercício entre linguagem e pensamento no sentido de realizar uma *síntese* abre espaço para novas concepções, com base no conteúdo aprendido no *nível de aproximação racional ou conceitual* do conteúdo.

Na *dramatização no plano da fantasia* foi possível construir o que o grupo imaginava ser a estrutura da metodologia. Por mais que tenha sido caótico em um primeiro momento, dado que utilizavam a ferramenta digital Jamboard pela primeira vez, a educadora respeitou a fase do grupo, permitindo que este buscasse sua reorganização de forma livre e autônoma. Os participantes colocaram suas ideias e estruturaram um primeiro modelo de proposta para *generalizar* seu entendimento a respeito da pedagogia psicodramática e da *funcionalidade* do conteúdo aprendido.

Esses passos estão esquematizados na Figura 1 (Romaña,1992).

Figura 1 – Método educacional psicodramático (modelo referencial 1984).

Níveis de aproximação ao conteúdo	Níveis de realização psicodramática	Operações
Aproximação intuitivo-emotiva ⟶ Dramatização real		Análise
Aproximação racional ou conceitual ⟶ Dramatização simbólica		Síntese
Aproximação funcional ⟶ Dramatização no plano da fantasia		Generalização

Fonte: Romaña (1992, p. 60).

Ao final, os participantes compartilharam sentimentos, percepções e pensamentos que os aproximaram e fortaleceram vínculos, identificando afinidades e semelhanças entre sensações e sentimentos.

Foi realizado um breve processamento das etapas vivenciadas pelos participantes a fim de esclarecer o método, o que reforçou o tema abordado, estimulando novas reflexões a respeito do conteúdo trabalhado.

Após a etapa de dramatização no plano da fantasia, havia a intenção de realizar um comparativo entre a estrutura criada pelo grupo e a proposta de Maria Alicia, mas o tempo não foi suficiente. Assim, será importante readequar o planejamento no futuro, propondo, por exemplo, a leitura dos textos dos educadores previamente, a fim de dedicar 30 minutos ao menos ao aquecimento específico.

Considerações finais

O psicodrama oferece, em si, três etapas possíveis para a construção de aulas e o resgate da criatividade e da espontaneidade dos indivíduos. No entanto, por se tratar de uma proposta mais ampla, fortaleceu-se no campo da pedagogia, compondo com robustez o método educacional psicodramático proposto por Romaña.

Maria Alicia sistematizou e organizou os passos para a aplicação de aulas que contemplam a essência do educando, sua dimensão subjetiva, seus sentimentos e emoções de forma íntegra e respeitosa. Colocou no educando um holofote para que protagonize a própria aprendizagem, convidando os educadores para um movimento de troca. Seguindo esse traçado, mesmo que de forma elementar, já se torna possível oferecer uma aprendizagem ativa aos educandos.

Ao reconhecermos que o modelo orientador positivista do início do século XX também teve grande influência na pedagogia, compreendemos os motivos que levam nossos educadores a repetir esse mesmo modelo, reproduzindo-o de forma cristalizada até hoje, sem conseguir conceber, ou seja, criar outra forma de propor a aprendizagem. Para uma mudança significativa nesse cenário, é importante que as instituições invistam na preparação de educadores sob esse viés, em uma proposta de formação espontâneo-criativa.

O caminho está construído, e cabe-nos agora uma autorreflexão no sentido de compreender até que ponto cada um de nós, educadores e educadoras, está disposto a permitir que o palco seja ocupado pelos educandos e que nosso papel de "direcionadores" seja transformado em mediadores de aprendizagem. Isso exige de nós o treino da espontaneidade e da criatividade, a fim de que sejamos capazes de dar respostas mais adequadas nas situações de aprendizagem.

REFERÊNCIAS

BACICH, L.; MORAN, J. (orgs.). *Metodologias ativas para uma educação inovadora – Uma abordagem teórico-prática*. Porto Alegre: Penso, 2018. *E-book*.

FONSECA, J. *Essência e personalidade – Elementos de psicologia relacional*. São Paulo: Ágora, 2018. *E-book*.

GARRIDO MARTIN, E. *J. L. Moreno – Psicologia do encontro*. São Paulo: Duas Cidades, 1984.

GONÇALVES, C. S.; WOLFF, J. R.; ALMEIDA, W. C. de. *Lições de psicodrama – Introdução ao pensamento de J. L. Moreno*. São Paulo: Ágora, 1988.

MARQUES, P. N. O "jovem" Vygótski: inéditos sobre arte e o papel da criação artística no desenvolvimento infantil. *Educação e Pesquisa*, São Paulo, v. 44, e184267, 2018. Acesso em: 15 out. 2021.

MORENO, J. L. *O teatro da espontaneidade*. São Paulo: Summus, 1984.

_____. *Quem sobreviverá? Fundamentos da sociometria, da psicoterapia de grupo e do sociodrama*. Edição do estudante. São Paulo: Daimon, 2008.

PACHECO, J. *Dicionário de valores*. São Paulo: SM, 2012.

PONTES, R. L. P. A *relação educador-educando – Um projeto psicodramático baseado em Morin e Moreno*. São Paulo: Ágora, 2018.

ROMAÑA, M. A. *Psicodrama pedagógico – Método educacional psicodramático*. 2. ed. Campinas: Papirus, 1987.

_____. *Construção coletiva do conhecimento através do psicodrama*. Campinas: Papirus, 1992.

_____. *Pedagogia do drama – 8 perguntas & 3 relatos*. São Paulo: Casa do Psicólogo, 2004.

_____. *Pedagogia psicodramática e educação consciente – Mapa de um acionar educativo*. Campo Grande: Entre Nós, 2019.

6. Pedagogia psicodramática – o método educacional psicodramático como modalidade de ensino

Julio Cesar Valentim

> *Quem ensina aprende ao ensinar.*
> *E quem aprende ensina ao aprender.*
> Paulo Freire

Participei de um curso de formação em Coaching com Psicodrama ministrado na Associação Brasileira de Psicodrama e Sociodrama (ABPS), e nele foi possível correlacionar parte da teoria que era apresentada com vários temas oriundos da psicopatologia psicodramática, módulo da formação Nível I (Psicodramatista), também na ABPS. Em virtude das correlações que eu apontava, surgiu o interesse do grupo em conhecer um pouco mais sobre a referida teoria, e com isso foi definido que eu daria uma aula extra sobre seus conceitos básicos, com o propósito de contribuir para a ampliação do conhecimento dos participantes.

Diante dessa missão, e sabendo que se tratava de um grupo que já tinha conhecimento prévio sobre o tema, decidi usar o método educacional psicodramático (MEP), modalidade que busca a participação ativa dos alunos na construção e ampliação de seus conhecimentos partindo de seu próprio referencial de saber. E que utiliza o psicodrama como prática, possibilitando o aprendizado pela vivência no "como se" do contexto dramático.

Ensinar, segundo Freire (2003), demanda uma responsabilidade ampla, que vai além da simples ação de transmitir determinado conhecimento ou conteúdo. Trata-se de facilitar que o outro amplie seu senso crítico; aprimore sua forma de raciocinar sobre o mundo; tenha bases para a formação e a manutenção de seus valores morais; estimule o desenvolvimento de crenças; e amplie suas inteligências.

Ensinar é um tipo de atividade que não se resolve com o emprego de técnicas e regras consideradas neutras. O ato de ensinar requer criatividade e um repensar constante das ações como docentes e de como os alunos aprendem (Cordeiro, 2007). Já aprender é a capacidade de adquirir algum tipo de conhecimento. Pode-se aprender de diversas maneiras: por meio da observação direta, do nosso raciocínio, do hábito de estudo ou simplesmente pelo convívio com outras pessoas. De alguma maneira, estamos permanentemente aprendendo. Fatores como a motivação, o ambiente social e os estímulos que recebemos contribuem enormemente para o processo de aprendizagem.

Enfim, ensinar e aprender são "faces da mesma moeda", que precisam de métodos e técnicas eficientes para que novos conteúdos sejam transmitidos e a assimilável. É possível utilizar vários recursos didáticos que estimulem a análise e a compreensão, como vídeos, textos, debates, a apresentação de trabalhos e seminários etc. Todos têm sua eficácia e permitem a absorção de conhecimento. Porém, outros métodos – como este que pretendo apresentar e refletir a respeito – estimulam a participação e o comprometimento do indivíduo na construção de seu saber.

O MEP é um desses instrumentos que podem ajudar o educador a conduzir de forma ampla e ativa o processo de ensino-aprendizagem. Os alunos, por sua vez, têm a oportunidade de expandir sua capacidade criativa e espontânea, sendo responsáveis pelo próprio aprendizado, uma vez que estarão envolvidos nas atividades pedagógicas. Contar sobre essa experiência e sobre esse método tem o propósito de fazer os docentes, em sua função de educadores, buscarem novas modalidades pedagógicas que recriem formas de ensinar, descobrindo ferramentas diferentes das tradicionais para o uso em sala de aula.

Ao ministrar a aula de Psicopatologia Psicodramática para o público mencionado – psicodramatistas formados e experientes –, uma aula tradicional expositiva não seria suficientemente atrativa para mobilizar e motivar a participação do grupo. Seria necessário um método que pudesse fazê-los interagir com o conteúdo apresentado, envolver-se racional e afetivamente com os temas e coconstruir um conhecimento com base em seu referencial.

Um pouco de teoria

O MEP foi desenvolvido por Maria Alicia Romaña com base em suas experiências em sala de aula, na formação de educadores, e se mostrou uma estratégia extremamente útil ao processo educativo, sobretudo após a incorporação das práticas psicodramáticas, que deram ação ao método. A autora defendia que o método deveria ser ativo, ou seja, se, ao aprender algo, o aluno participasse de uma atividade, essa mesma atividade tornaria evidentes suas dificuldades e, depois disso, os passos de desenvolvimento poderiam ser definidos com base nessas dificuldades (Romaña, 1996).

Romaña (1996) considera da máxima importância o uso de métodos ativos no processo de aprendizagem, considerando que:

a) O aluno aprende em relação com objetos, situações ou conceitos concretos e precisos. Inicia-se o aprendizado pelo nível do concreto e depois se passa para uma atividade mais ampla, com sentido e significação.

b) O aluno não aprende sozinho, isto é, o grupo se mostra apoiador e facilitador no processo de aprendizagem.

c) O aluno incorpora um método ao mesmo tempo que um conhecimento. Se o método for passivo, ele não se identificará nem se comprometerá com o aprendizado. Se for ativo, participará da construção do seu conhecimento.

d) O aluno elabora, além de uma ideia, uma imagem. Aprende fazendo, imaginando e pensando.

e) Com o conhecimento, o aluno amplia sua experiência com relação ao espaço e ao tempo. Quanto mais variada for a atividade, mais rica será a experiência.

Ao utilizar a dramatização como recurso prático, Romaña estabelece alguns passos importantes que garantem a aproximação entre o novo conhecimento e o aluno, por meio de vivências dramáticas que ocorrem em planos diferentes: primeiro no plano real, no qual acontece a aproximação intuitivo-afetiva. Nada mais é que o espaço do conhecimento que já faz parte do repertório de saber do indivíduo. O segundo é o plano simbólico, com a aproximação racional ou conceitual. Corresponde ao tempo do conhecimento, no qual o indivíduo consegue fazer uma abstração e atingir um entendimento maior sobre os conteúdos, podendo realizar uma síntese. O terceiro é o plano da fantasia, em que se dá uma aproximação funcional – que corresponde à integração do conhecimento – por meio das dramatizações, que permitem ao indivíduo fazer novas conexões e correlações e, por fim, generalizações sobre os temas e conceitos aprendidos (Romaña, 2004).

Para a efetiva aplicação do MEP, foi necessário utilizar como instrumento um jogo dramático que pudesse, junto com outras atividades, levar os participantes a acessar o nível de dramatização no plano da fantasia, no qual se opera a generalização dos conteúdos transmitidos no curso, como visto no terceiro passo.

Monteiro (1994) define jogo dramático como uma atividade que propicia ao indivíduo expressar livremente as criações de seu mundo interno, realizando-as na forma da representação de um papel, pela produção mental de uma fantasia ou por determinada atividade corporal. Já para Yozo (1996), trata-se de uma atividade que permite avaliar e desenvolver o grau de espontaneidade e criatividade do indivíduo por meio de suas características, estados de ânimo e/ou emoções na obtenção e resolução de conflitos ligados aos objetivos propostos. Para que seja um recurso eficiente no desenvolvimento da espontaneidade e criatividade, é importante que se crie um campo relaxado no qual o jogo aconteça, oportunizando a liberdade de ação e atuação dos participantes sem que as pressões do meio externo, do contexto social, com normas e regras rígidas, sobressaiam ao longo dele.

Se pensarmos na utilização de um jogo dramático como recurso facilitador para a transmissão e a ampliação de novos conteúdos, podemos nos apoiar em

Romaña (2004), que afirma que nos jogos existe uma proposta de avançar por certo caminho ou acompanhando passos predeterminados. O que acontece é que cada grupo, e dentro dele cada participante, dá respostas criativas e originais.

Com relação à psicopatologia psicodramática, é importante discorrer um pouco sobre essa teoria. Armando de Oliveira Neto foi quem a desenvolveu e a transformou em um método prático que pudesse ser aplicado nos consultórios ou em projetos socioeducacionais. Ele é psiquiatra e psicodramatista. Estuda psicopatologia desde 1969, quando trabalhou no Hospital do Juqueri, dedicando-se à construção do conhecimento em psiquiatria clínica e aprofundando-se nos estudos da fundamentação da atuação clínica sob o prisma da psicopatologia, na intersecção do psicodrama, da psicopatologia e das funções cerebrais – a psiconeurofisiopatologia. Dedicou-se a estudar vários autores e identificou que sobre determinada doença havia várias definições com prismas muito diferentes entre si, embora houvesse uma preocupação em ter um direcionamento teórico que embasasse a prática psiquiátrica, psicológica e psicoterapêutica.

Iniciou os estudos sobre psicodrama em 1970 e percebeu que Moreno pouco citava o termo "psicopatologia" em sua obra; usava termos distintos como "técnica", "método", "pesquisa", podendo não ser um objetivo maior. Oliveira Neto (2011) menciona que Moreno, na seção VI de seu livro *Psicodrama* (1975), inicia com o tema "O psicodrama e a psicopatologia das relações interpessoais", mas só no final do capítulo afirma: "A relação tele pode ser considerada o processo interpessoal geral do qual a transferência é uma excrescência psicopatológica especial" (p. 289).

Em sua trajetória como docente, iniciada em 1974, Oliveira Neto esteve voltado para o ensino das psicopatologias, principalmente na ABPS, onde permaneceu até 1993 como professor titular da cadeira de Psicopatologia. Esse módulo tinha como conteúdo a formação clássica, semelhante à ministrada na graduação de Psicologia ou de Medicina. Ele remodelou o programa, dando maior ênfase ao referencial psicoterápico, e o chamou de "As Bases Psicopatológicas da Psicoterapia Psicodramática", fundamentando-se em Max Scheler (Oliveira Neto, 2011).

Posteriormente, ao reler o livro *Psicodrama e psicoterapia*, de Alfredo Correia Soeiro, notou que sua proposta teórica estava intimamente vinculada a uma noção de psicopatologia, principalmente com relação a uma práxis psicoterapêutica, o que o fez incluir esse conteúdo no currículo do curso (Oliveira Neto, 2011).

Em 1986, após o 1º Encontro de Professores e Supervisores em Brasília, como fruto colhido dos intensos debates encabeçados pelo dr. Miguel Perez Navarro, Oliveira Neto se reaproximou dos referenciais de J. L. Moreno, resgate esse que originou o que ele chamou de "psicopatologia moreniana", uma sistematização da abordagem psicodramática apoiada na teoria da matriz de identidade lida pelo prisma psiconeurofisiopatológico (Oliveira Neto, 2011).

Dessa forma, o conteúdo do módulo de Psicopatologia Psicodramática foi constituído pelas seguintes bases teóricas: psicopatologia em Moreno (Bases Psicopatológicas da Psicoterapia Psicodramática de Moreno, ou Psicopatologia Moreniana); psicopatologia em Scheler (Psicologia e Psicopatologia da Afetividade); psicopatologia em Soeiro (Manejo de Tipologias e Patologias). Ajustes ocorreram em virtude da carga horária da grade curricular (Oliveira Neto, 2011).

Entre 1981 e 2002, Oliveira Neto trabalhou no Serviço de Psiquiatria e Psicologia Médica do Hospital do Servidor Público Estadual, com a orientação teórica do prof. dr. Carol Sonenreich, que consistiu, em essência, na formulação diagnóstica baseada em uma leitura ampla e psiconeurofisiopatológica, o que caracterizava uma psiquiatria conceitual, contrapondo-se à concepção de diagnóstico pelo somatório dos sintomas.

> Quando o leitor estiver diante deste escrito, ou eu ao escrever o mesmo, lendo, pensando, refletindo, formulando e reformulando ideias, utilizará, para isso, um órgão muito especial em termos de complexidade e de organização: o CÉREBRO, nossa máquina processadora de informações.
>
> A concepção de *psychè*, enquanto alma, espírito, como uma determinada função de uma entidade etérea, não mais se fundamenta na atualidade. Essa *psychè* é a expressão da própria atividade do cérebro, de seus circuitos interagindo, em vários níveis de complexidade, de forma harmônica.
>
> O "penso, logo existo" deverá ser complementado por um: "ativo sinapses, logo penso que existo". É a proposta básica desta apresentação. (Oliveira Neto, 2011, p. 5)

O grupo, a estruturação da aula e a aula em si

Pode-se dizer que o pensar e o agir pela pedagogia psicodramática permeou toda essa experiência, tendo início com a reflexão e a estruturação da aula conforme o método escolhido: o MEP.

A prática da docência tem início muito antes da sala de aula, e a estruturação do plano de trabalho foi crucial para coordenar todo o processo que ocorreria com o grupo. Foi necessário definir os conceitos que seriam abordados sobre psicopatologia psicodramática em virtude do tempo disponível para a aula, comparando-os com a complexidade da teoria a ser explorada. O objetivo era que os participantes tivessem contato com os termos basais da teoria.

A aula foi estruturada com base no planejamento proposto por Romaña (2004), entrelaçando os principais conteúdos que seriam abordados com atividades que proporcionassem uma vivência dos conteúdos pelos participantes, seguindo os contexto e as etapas utilizados na prática psicodramática e os planos de dramatização aplicados no MEP.

De forma sucinta, o plano de aula foi estruturado da seguinte maneira:

- *População a que se destina*: seis psicodramatistas com foco psicoterápico e foco socioeducacional, participantes do curso de Formação em Coaching com Psicodrama na ABPS.
- *Objetivo*: apresentar alguns conceitos da psicopatologia psicodramática para a referida população, visando agregar conhecimento.
- *Temática*: transmissão dos conceitos sobre matriz de identidade, definição da hipótese diagnóstica – tipologia e patologia, neurose e psicopatia, desenvolvimento e tratamento.
- *Tempo da aula*: aproximadamente duas horas.
- *Método a ser utilizado*: método educacional psicodramático (MEP).
- *Instrumento*: jogo dramático (jogo do detetive – Yozo, 1996, p. 149).

Sobre o instrumento citado, trata-se de um passo importante na estruturação do trabalho. Deve-se pesquisar e definir um jogo que dê sustentação vivencial para a prática e facilite a correlação com os temas da abordagem teórica. A fonte de atividades e jogos dramáticos é vasta. Pode ser que você não encontre um jogo que se encaixe integralmente no conteúdo que pretende transmitir, sendo necessário, então, que determinado jogo seja adaptado para atender à sua real necessidade.

No caso dessa experiência, o jogo do detetive se encaixou plenamente no meu objetivo, pois manteria a interação entre os indivíduos em papéis de oposição e com algum conflito (assassino *versus* detetive *versus* vítima). Como complemento ao jogo, acoplei o tema dos pecados capitais, que visava à vivência de possíveis características exacerbadas, o que facilitaria a compreensão de assuntos a ser abordados posteriormente.

A aula começou com os participantes no contexto social, confraternizando-se, já que seria a última aula do curso Coaching com Psicodrama. Propus uma atividade simples de integração, e, à medida que o grupo interagia, afinidades foram se revelando. Com isso, foi possível migrar o grupo do contexto social para o contexto grupal, iniciando, assim, um aquecimento específico. Propus uma atividade, "andar pela sala", que foi usada como iniciador físico[1] para direcionar a atenção de cada participante para si próprio. As orientações dadas ao longo dessa atividade

---

1 Iniciadores são estimulações internas ou externas, voluntárias ou involuntárias, físicas ou mentais utilizadas para o aquecimento do indivíduo, a fim de sensibilizá-lo e introduzi-lo no desempenho espontâneo e criativo dos papéis na dramatização pretendida (Almeida, 1998, p. 27).

suscitaram nos participantes, pela ótica da psicopatologia psicodramática, a vivência de aspectos de sua matriz de identidade.

Como aquecimento específico, induzi os participantes a pensar em determinadas situações ou características de sua vida privada de forma individual e sem compartilhamento, conforme a sequência da matriz de identidade: primeira, segunda e terceira fases.

Esse exercício propunha que cada participante tivesse contato com sua matriz de identidade, refletindo sobre a construção e a dinâmica interna entre as fases, se estavam coerentes e adequadas ou não. Pretendia, também, ajudar nas correlações com conceitos teóricos a ser discutidos posteriormente.

As orientações foram as seguintes:

- Concentrar a atenção na respiração, nos movimentos e nas sensações corporais e emocionais.
- Pensar na vida de forma geral, nas coisas de que gostavam, em seus desejos e vontades.
- Pensar em como realizavam aqueles desejos e vontades. Em como conseguiam concretizá-los.
- Pensar sobre o impacto que a realização de seus desejos causaria nas pessoas de suas relações. O outro estranharia? Aceitaria? Haveria crítica?
- Diante desse olhar sobre o outro, suscitar os seguintes pensamentos: "Tem gente que faz coisas intensas, que sente demais, que pensa demais. Eu mesmo sou assim em alguns momentos. Mas tem gente que vai bem além, sem muitos limites. Será que eu conseguiria ir além? Como será ser alguém que vai tão além?"

Essa ação, embora ainda não estivesse na fase da dramatização em si, remetia ao plano da realidade (Romaña, 2004). Para essa autora, à medida que se solicitam cenas mais ligadas à experiência de vida, o conteúdo vai adquirindo destaque e se tornando emocionalmente significativo para a pessoa. Depois da aproximação intuitivo-emotiva dos conteúdos já conhecidos, deve ocorrer a operação de análise, isto é, o referencial real da própria vivência individual permite experienciar aspectos de sua matriz de identidade com plenitude e de maneira didática.

Em seguida, foi solicitado ao grupo que construísse um personagem com base em um roteiro previamente definido entregue a cada participante. Acompanhando esse roteiro, cada um recebeu uma filipeta com um dos pecados capitais; as características do pecado capital recebido deveriam ser acopladas a seu personagem.

O roteiro entregue seguia as fases da matriz de identidade, e a criação dos personagens deveria manter a mesma lógica da primeira atividade. Logo, suas referências e experiências poderiam estar presentes, uma vez que tinham acabado de vivenciar algo similar.

Os personagens foram sendo criados com base nas referências simbólicas e experiências ou conhecimentos anteriores, o que nos levou para o segundo nível do MEP: a entrada no plano simbólico. "Deixamos o terreno da realidade e colocamos a dramatização em nível simbólico" (Romaña, 2004, p. 52). A autora (1992) ensina que a aproximação dos conteúdos se dá de forma racional ou conceitual, pela operação de síntese, que se configura no plano simbólico.

Ressalte-se que essas duas atividades, tanto a do plano real como a do simbólico, aconteceram em momentos bem próximos, quase se confundindo na vivência, mas não na forma de condução. Romaña (1992) demonstra que o método deve ser flexível como um tecido, suficientemente *sutil* para não coibir as iniciativas e suficientemente firme para acompanhar os movimentos e tentativas de compreensão sem se quebrar. Em outras palavras, ajustar o método de acordo com a realidade em que se encontra.

Depois que todos montaram seus personagens, receberam a consigna para que tomassem esse novo papel; eles poderiam interagir livremente, pois estariam em um evento social. Incentivou-se que a interação ocorresse de forma aleatória e criativa, em seus personagens, não havendo nenhum roteiro a ser seguido.

Depois de certo tempo de interação, o grupo foi interrompido, solicitando-se que cada um se apresentasse formalmente. Os personagens criados foram:

Quadro 1 – Atribuição de personagens		
Participante	Pecado capital	Personagem criado
Marta	Ira	Ironildo
Silvana	Soberba	George
Kátia	Preguiça	Deva
Célia	Avareza	Tio Patinhas
Claudia	Luxúria	Glamorosa
Antonio	Gula	Sr. Lombriga

Fonte: elaborado pelo autor (os nomes dos participantes são fictícios).

- *Ironildo*: homem irritado com o mundo; tudo o deixa extremamente nervoso, revoltado. As coisas não funcionam, as pessoas são lentas e o fazem sentir raiva. Ele não queria estar ali, não tinha vontade de interagir, mas foi obrigado a comparecer. E isso era motivo para deixá-lo com raiva de tudo e todos.

- *George*: de postura sempre altiva, age com certa arrogância e denota superioridade perante os outros. Não estava confortável com pessoas de classe social diferente da sua, sobretudo quando demonstravam comportamentos vulgares ou vontades simples, sem nenhum *glamour*. Queria que a reunião terminasse logo, pois tinha vários compromissos sociais importantes.
- Deva: disse que gostava de economizar energia, que não fazia nada correndo e que estava achando todo mundo muito agitado, tenso. Estava lá "de boa". Comentou que quase não tinha comparecido à reunião, pois estava muito frio e não queria sair de casa.
- *Tio Patinhas*: contou que era milionário, estava em casa sem fazer nada e resolveu ir à reunião para ver do que se tratava. Avisou que, se tivesse de gastar algum dinheiro, não o faria.
- *Glamorosa*: disse que estava adorando participar da reunião, que tudo estava "um show". Sentou-se confortável e despojadamente, aceitou sanduíche oferecido pelo outro participante e aproveitou para paquerá-lo. Mostrava-se sensual o tempo todo.
- *Sr. Lombriga*: foi à reunião porque sabia que haveria algo para comer. Estava alegre, feliz da vida, já que tinha comida e poderia se fartar. Sentiu que o clima estava tenso porque as pessoas não estavam comendo.

Depois das apresentações, passei a aplicar o jogo do detetive, ingressando na dramatização no plano da fantasia e dando início ao terceiro momento do MEP. "Finalmente, quando nos aventuramos na dramatização no nível da fantasia, em geral conseguimos que sua estrutura seja mais espontânea, por ela não estar mais vinculada ao conhecimento como conserva cultural" (Romaña, 2004, p. 53).

As regras do jogo eram:

- Seria entregue uma papeleta com um novo personagem (Assassino, Detetive e Vítima).
- Eles não poderiam compartilhar esse novo personagem com o restante do grupo.
- Deveriam continuar a interação, porém haveria um Assassino entre eles, que poderia "matar" os outros com uma piscada discreta.
- Haveria, também, um Detetive entre eles que, se recebesse a piscada do Assassino, deveria prendê-lo imediatamente.
- Quem fosse Vítima e recebesse uma piscada do Assassino deveria discretamente anunciar que estava "morto", sem denunciar quem era o Assassino.

Aconteceram quatro rodadas do jogo:

- *Primeira rodada*: todos interagiram, mostrando as características de seus personagens de forma exacerbada e prestando pouca atenção aos movimentos do jogo, tanto que o Assassino (personagem de George) conseguiu matar todos os participantes, inclusive o Detetive (personagem Glamorosa). Glamorosa disse que não entendera as regras, e pensou que também poderia morrer. Com isso, houve uma manifestação geral entre eles. O diretor repassou as regras e procurou garantir que todos haviam entendido os detalhes.
- *Segunda rodada*: os personagens demoraram um pouco para começar, entreolhando-se de forma dispersa. Tentavam interagir com o diretor, que orientava que a atenção permanecesse nos outros personagens. Por um bom tempo ficaram assim, sem que ninguém morresse, até que alguns personagens começaram a ironizar o Assassino. O personagem George, por exemplo, questionou se ele saberia piscar. Em outro momento, comentou que, se todos parassem de falar bobagem e se concentrassem no jogo, seria melhor. A personagem Deva achou que tinha morrido porque viu duas piscadas. Por fim, o personagem Ironildo ficou nervoso, jogou o papel no chão, revelou que era o Assassino e que não queria mais jogar. Queria ir embora. Os outros personagens ficaram surpresos com a atitude e procuraram não interagir com ele, mas continuaram ironizando sua atitude, o que o deixou mais nervoso. O diretor anunciou que iniciaria mais uma rodada.
- *Terceira rodada*: todos pegaram as papeletas, e o personagem Sr. Lombriga levantou-se e disse que buscaria um chá e algo para comer. Perguntou se alguém queria que ele trouxesse comida e bebida e alguns personagens aceitaram, enquanto outros contestaram a saída dele do local. O personagem George logo comentou que talvez ele fosse uma Vítima, que não tinha outra função a não ser morrer, que queria atrapalhar o jogo. Logo que o Sr. Lombriga voltou ao grupo, dois personagens anunciaram que tinham morrido, mas a Detetive Glamorosa conseguiu prendê-lo.
- *Quarta rodada*: todos ficaram em silêncio, atentos aos movimentos uns dos outros, e foi muito rápida a identificação do Assassino Tio Patinhas. Ele conseguiu matar duas Vítimas, mas foi pego pelo Detetive George.

A dramatização aconteceu de forma espontânea, com todos os participantes assumindo seus papéis com profundidade e propriedade. Dessa forma, o jogo permitiu que cada um sentisse e agisse de acordo com as características de seus personagens. Em virtude da interação constante, surgiram conflitos e afinidades; assim, as características de seus personagens afloraram a ponto de eles sentirem a intensidade das emoções e se comportarem da maneira como lhes conviesse, sem que o crivo social tolhesse seus discursos e atitudes.

Observando a atuação deles, teríamos informações suficientes para analisar os comportamentos conforme seria explorado na abordagem teórica.

Passamos, então, à fase dos comentários, mantendo os participantes em seus personagens, pedindo impressões e percepções de cada um a respeito de seu personagem e dos outros. Não segui um roteiro preestabelecido para explorar as percepções, mas fiz questionamentos que permitiram aos participantes refletir sobre aspectos importantes que seriam abordados na teoria a ser apresentada posteriormente. Segue uma síntese de cada depoimento:

- **Deva (Preguiça):** "Achei que foi tranquilo, eu sempre fui vítima; ser detetive ou assassino dá muito trabalho, tem que ficar prestando atenção. Ser a Deva é de boa, eu tenho meu jeitão. Olha, eu não sofro, não. Eu sou de boa mesmo! As outras pessoas aqui é que... sei lá, às vezes eu estou em algum lugar e as pessoas ficam bravas comigo. Eu não entendo por quê. Até pensei que eu podia fazer um *coaching*, porque não preciso de tratamento. A terapia talvez me ajude um pouco, mas não que isso me incomode".
  - » *Deva na visão do grupo*: "Parece ser uma pessoa legal, que deve ser o que quer ser". Somente um personagem achou que ela era muito lenta, o que o irritava.

- **Sr. Lombriga (Gula):** "Eu sou de comer bastante assim, adoro. Mas eu como não por fome, mas por vontade de comer. Gosto de estar o tempo todo com alguma coisa pra comer e vivo bem assim. As pessoas acham até engraçado o fato de eu comer muito. Me chamam de 'saco sem fundo', mas eu levo numa boa. Aprendi a levar numa boa quando passei a compartilhar, por isso sempre ofereci comida. Acho que antigamente as pessoas sentiam inveja. Eu sempre tinha alguma coisa pra comer e elas queriam comer e não se sentiam à vontade pra pedir. Aí eu fiz um pouco de terapia e vi que convivo bem com tudo isso".
  - » *Sr. Lombriga na visão do grupo*: "Achei ele muito prestativo, disposto a pegar as coisas para as pessoas. Imagina, ele foi lá pegar chá pra mim?! Ninguém mais faz isso".

- **Glamorosa (Luxúria):** "Eu sou egocêntrica, não tô muito ligando para as pessoas, não. Nunca procurei terapia. Minha família acha que eu preciso de terapia, porque sou egocêntrica, egoísta, não estou nem aí para ninguém. Mas eu acho que cada um tem que viver o que quiser, ser o que quiser. Eu adoro. Cada um é livre para ser o que quiser. É meu jeito".
  - » *Glamorosa na visão do grupo*: "Eu a chamaria para jantar comigo".

- **George (Soberba):** "Não me sinto muito à vontade com isso aqui. Por exemplo, um quer comer demais enquanto eu só como o necessário. Acho que aqui não é um bom lugar. As pessoas não se escutam. Não gosto de estar neste círculo. Sou um pouco mais quieto. Eu gosto do jóquei, por exemplo. Gosto de festas com pessoas com um nível melhor. Não levaria ninguém para o jóquei, porque até os cavalos estão acima deles. Não faria terapia. Vão vocês, por vocês e por mim".
  » *George na visão do grupo:* "Insuportável. Deveria ir para a terapia".

- **Ironildo (Ira):** "Está me dando dor de cabeça de ficar aqui, de tanto nervoso. Falar o quê? Pois é, eu sou assim. As pessoas são lentas, as coisas não funcionam. É meu jeito. Comecei terapia, mas é tudo muito enrolado, voz mansa. Não acredito muito, não. Não acredito nessa falação. Eu nem fico os 50 minutos. Dá meia hora e eu já saio. Mas esse é o meu jeito".
  » *Ironildo na visão do grupo* – "Cara feia pra mim é fome. Muito irritado, nervoso. Deixa a gente nesse mesmo estado".

- **Tio Patinhas (Avareza):** "Sou milionário, não gosto de conviver com gente. Gosto de ficar lá no meu castelo. Também, o que elas vão me agregar? Já conquistei tudo. Já tenho tudo. Tenho pessoas que cuidam das coisas para mim".
  » *Tio Patinhas na visão do grupo:* "Eu gostei dele. É o jeito dele. Queria ir à casa dele".

A partir desse momento, a experiência vivida pelos participantes no jogo dramático já seria suficiente para apresentar e discutir os principais conceitos da psicopatologia psicodramática, facilitando a assimilação deles por meio da correlação entre teoria e prática.

Para exemplificar, passo a relatar os momentos de destaque ao longo da exposição da teoria que puderam ser correlacionados com o que os participantes vivenciaram na dramatização.

Ao abordar o tema matriz de identidade, os participantes levantaram várias questões a respeito de cada fase, apresentando dúvidas e exemplos de situações reais, de seu cotidiano profissional, que foram mais interessantes e produtivas para articular o conhecimento do que se nos prendêssemos a analisar os personagens em si.

Os relatos e dúvidas dos participantes, conforme exemplificado a seguir, foram norteadores para que as discussões e a exploração dos conceitos ocorressem – e, portanto, para permitir a ampliação do conhecimento prévio:

- "Eu entendo a matriz como um todo, mas tenho dúvida de como isso se processa na vida adulta. Por exemplo: eu tenho uma cliente no *coaching* que sempre responde que não sabe o que quer. Eu faço essa pergunta e ela sempre responde: 'Eu não sei'".
- "É possível a pessoa estar bem em um papel numa determinada fase, mas não conseguir ficar bem em outro papel? Tenho uma cliente que vive um pouco isso. Quando apliquei uma técnica que aprendemos no curso de *coaching*, percebi que ela desempenhava bem um papel, mas não outro. Então isso é possível?"
- "Se a pessoa passa bem pelas três fases na infância, qual é a probabilidade de ela conseguir passar bem pelas mesmas fases na vida adulta?"
- "Não sei se vale, mas acabei de mudar de casa e sinto que estou num momento caótico e indiferenciado com minha casa nova. Já estou quase conseguindo conviver com minha pia. Quero chegar à inversão com ela". (Foi um momento de descontração, mas que denota a articulação da teoria.)
- "E quando você começa uma relação afetiva? É possível dizer que o casal fica, num primeiro momento, tão próximo que pode parecer simbiótico? A simbiose vem dessa fase?"
- "E pode até acontecer o contrário. Não começar simbiótico, mas num determinado momento da relação, e por situações que passaram, se tornarem simbióticos. Então é da primeira fase, não é?"

Em outro momento, quando apresentamos o tema da hipótese diagnóstica, a mesma dinâmica ocorreu. Os participantes trouxeram questionamentos sobre situações, pacientes e clientes, diante dos quais pudemos ampliar as discussões. Estes foram alguns posicionamentos discutidos:

- "No consultório, sempre trabalhamos com a perspectiva da cura para o sofrimento."
- "Saúde mental seria ter clareza de que se está sofrendo, de que aquilo faz sentido e pode ser um momento específico. É algo que eu controlo, no sentido de ter consciência de que é normal sofrer naquele momento."
- "Não sei se é uma frase do Armando ou do Rosalvo. Não se deve sofrer mais do que o necessário."
- "Eu tenho uma paciente que é histérica, e ela me irrita muito. Preciso ler o Soeiro."
- "Então, se meu cliente não percebe o que ele está fazendo, é um sem-noção. Mesmo sendo sua tipologia, ele não percebe até que ponto alguns comportamento afetam o outro."

- "Estou atendendo um *coachee* que veio para a sessão com a namorada e pediu que ela ficasse na sala. Como estamos atendendo em unidade funcional, a colocamos perto da porta e dissemos que ela seria observadora, assim não participaria da sessão. Mas ele sempre respondia as coisas olhando pra ela. Simbiose pura, e ambos não têm ideia do tipo de comportamento que estão tendo."

Todas essas questões foram discutidas em grupo, com contribuições individuais oriundas da experiência e do conhecimento do assunto. Pude complementar o conteúdo com exemplos e corrigir alguns conceitos. Em determinados momentos, fazíamos correlações com a vivência, mas logo os exemplos da vida prática surgiam – e, neles, a exploração e a ampliação dos conceitos se tornavam cada vez mais notórias.

Quando atingimos a operação da generalização, que acontece no terceiro momento da dramatização, por meio do plano da fantasia, como forma de integração com a vivência, podemos dizer que o conhecimento teve uma relação funcional com o aprendiz, como explica Romaña (1992, p. 63):

> [...] o que traz mesmo o sentimento de ter compreendido algum conteúdo é o fato de podermos inseri-lo em contextos sem gravidade como objetos não necessariamente vinculados a espaço e tempos reais, quero dizer, quando construímos apenas com as regras da nossa fantasia.

O fato de utilizarmos não uma aula teórico-expositiva, e sim o MEP como instrumento foi um diferencial na articulação das informações. Ao usar um método pedagógico tradicional, considera-se que quem detém o conhecimento é o facilitador, que conduz a aula com base em seu referencial metodológico. Ao mesmo tempo, depositam-se nele todas as credenciais para destrinchar os conteúdos, analisá-los e orientar os alunos quanto à sua utilização. Uma aula puramente expositiva não permitiria acessar o repertório de conhecimento que o indivíduo pudesse ter. Parte-se da premissa de que há um saber soberano, desconsiderando-se a experiência e o conhecimento prévios dos indivíduos.

Por outro lado, articular e promover a interação entre o conteúdo a ser apresentado e a experiência prévia dos participantes sobre o assunto é um modelo extremamente eficaz para garantir que o ensino se consolide, ao mesmo tempo que constitui um desafio para o educador.

Não foi diferente na aula conduzida por esse método. Os participantes tinham um nível de informação suficiente para articular e até mesmo transcender a absorção dos conteúdos, como ocorreu no momento das discussões, demonstrando a possibilidade imediata da aplicação dos conceitos em sua rotina profissional. A operação de análise, síntese e generalização se fez presente em cada questionamento e elaboração feitos pelos participantes, inclusive um complementando as ideias do outro.

Romaña (1992) menciona que os educadores têm a responsabilidade de transmitir o conhecimento conforme o consenso científico e, ao mesmo, devem favorecer e estimular novas descobertas com base nesses conhecimentos para encontrar novas respostas aos desafios e contradições da realidade. Pude constatar esse fato ao perceber o nível de articulação e interesse dos participantes em se aprofundar na teoria.

Ainda corroborando a utilização desse método, Romaña (1992) reflete sobre as situações em que ele pode ser aplicado. Dentre as possibilidades elencadas por ela, a que se aplica à nossa realidade é que o saber articulado nesse trabalho foi adquirido previamente em uma instituição de ensino; dessa forma, trata-se de um saber acadêmico que foi incorporado como repertório de informações.

Por meio das falas, questões e reflexões dos participantes na etapa dos comentários, houve a aproximação de vários conceitos que faziam parte das temáticas da aula, como queixa, hipótese diagnóstica, tipologia *versus* patologia, neurose *versus* psicopatia, desenvolvimento ou tratamento. É importante enfatizar que isso foi possível porque a vivência permitiu a compreensão dos temas – não apenas por uma experiência cognitiva, que seria proporcionada por uma aula expositiva, mas pela integração de várias vias.

De início, os estágios do processo possibilitaram uma relação afetivo-intuitiva com o conteúdo quando os participantes analisaram os aspectos da própria matriz de identidade e iniciaram a composição dos personagens (com as características dos pecados capitais designados), quando já começaram a necessitar de uma relação racional-conceitual que se completava na vivência dos personagens, demonstrando as características destes. Para a simbolização dos pecados – que serviram como expressão de características comportamentais de determinada cultura, distanciando-se do eu privado, a fim de proteger os participantes da exposição pessoal – por meio dos personagens, os participantes precisaram realizar uma síntese, "porque todo símbolo exige uma síntese, ou melhor, é expressão de uma síntese" (Romaña, 1992, p. 62).

Na sequência, para alcançarem o processo de generalização, foi proposto um espaço de dramatização da fantasia, distante do espaço e tempo real oferecido pelo jogo dramático. Nesse momento, os participantes se relacionaram espontaneamente, dando expressão livre aos personagens, e depois se mantiveram nesses papéis da fantasia e analisaram os comportamentos expressos na cena, estabelecendo uma relação funcional com as temáticas e fechando o processo de compreensão – que permitiu, no compartilhar da aula, correlacionar os conceitos abordados com a prática profissional dos participantes.

Vale destacar que, como o MEP é um método baseado no psicodrama, é sempre necessário articular situações que sejam dramatizações reprodutoras da realidade do conhecimento, situações que o simbolizam e nas quais se criam outros contextos – ou outros ninhos para o conhecimento. São as dramatizações que chamamos de fantasia (Romaña 1992).

Considerações finais

Usar o MEP como metodologia ativa para conduzir uma aula sobre psicopatologia psicodramática foi uma ação eficiente, que promoveu a interação, a articulação e a ampliação dos conteúdos, tanto teóricos como práticos, em um grupo de participantes formado por psicodramatistas experientes, que já detinham significativa informação a respeito dos vários assuntos que seriam abordados nessa aula.

Ao estruturar um plano de aula à luz do planejamento proposto por Maria Alicia Romaña, pude refletir sobre a importância da análise de todo o contexto em que a aula aconteceria (população, objetivo, tempo da aula, temáticas etc.) e, com isso, definir atividades adequadas que promovessem a interação e dos participantes com os conteúdos da aula.

A utilização de um jogo dramático foi essencial para levar a dramatização ao plano da fantasia e, assim, contemplou os três níveis apresentados por Romaña (plano real, simbólico e da fantasia), níveis esses que sustentam a operacionalização da aproximação e absorção dos conteúdos (análise, síntese e generalização). As atividades garantiram que os participantes representassem papéis sem um filtro social que impedisse a plena vivência dos conceitos, ao mesmo tempo que se manteve preservado o eu privado de cada um.

Todos se mostraram dispostos e comprometidos em todas as etapas do processo, das atividades de aquecimento às dramatizações. A operação de generalização que o MEP propicia se fez presente no momento das discussões e correlações entre teoria e a prática de cada participante. Os comentários e os compartilhamentos de experiências vividas no âmbito profissional deram uma dimensão do nível de abstração a que os participantes chegaram. Foi possível ver o método como fenômeno pedagógico, podendo-se transitar em várias direções – de apresentar um conteúdo totalmente novo para alguns a ampliar as informações para outros.

Como limitações do estudo, destacam-se dois pontos:

1. O tempo estipulado para a aula foi curto perante a extensão e a complexidade do conteúdo a ser estudado. Com isso, o ritmo das atividades, da aplicação do jogo dramático e até mesmo da apresentação e articulação da teoria precisou ser

acelerado para contemplar toda a operação de análise, síntese e generalização. O tempo é um critério importante a ser considerado na estruturação do MEP, assim como na execução prática, para que o resultado não seja impactado.

2. Na etapa de dramatização, nos comentários individuais dos personagens, o questionário não seguiu um roteiro predefinido. A utilização de um questionário roteirizado, com perguntas iguais para todos os personagens, talvez surtisse um efeito diferente e ajudasse ainda mais na operação da generalização.

Como toda teoria psicodramática, o MEP oferece muitas oportunidades de estudo e desenvolvimento, por ser uma metodologia que pode ser aplicada como ferramenta pedagógica em qualquer situação de ensino de qualquer teoria ou conteúdo. Há pouca literatura sobre o tema, e o campo a ser explorado é vasto.

Pude comprovar sua eficácia nessa experiência prática e me baseei em um ensinamento de Romaña (1992, p. 67) sobre a aplicação do método: "Portanto, o mais importante é contar com um bom espírito de aventura da parte do professor para mergulhar nas raízes do conhecimento sem preocupar-se demasiadamente com os resultados num primeiro momento". Essa frase foi um incentivo para arriscar a condução do processo sem querer acertar o tempo todo, o que permitiu uma boa dose de descobertas ao longo da jornada. É isso que acontece no psicodrama. Nunca sabemos aonde vamos chegar, por mais que tenhamos toda a visão do caminho.

REFERÊNCIAS

CORDEIRO, J. *Didática*. São Paulo: Contexto, 2007.

FREIRE, P. R. N. *Pedagogia da autonomia – Saberes necessários a prática educativa*. Rio de Janeiro: Paz e Terra, 2003.

MONTEIRO, R. F. *Jogos dramáticos*. São Paulo: Ágora, 1994.

MORENO, J. L. *Psicodrama*. São Paulo: Cultrix, 1975.

OLIVEIRA NETO, A. *Psicopatologias e psicodrama*. Apostila do curso da disciplina de Psicopatologia Psicodramática. São Paulo: ABPS, 2011.

ROMAÑA, M. A. *Construção coletiva do conhecimento através do psicodrama*. Campinas: Papirus, 1992.

_____. *Do psicodrama pedagógico à pedagogia do drama*. Campinas: Papirus, 1996.

_____. *Pedagogia do drama – 8 perguntas e 3 relatos*. São Paulo: Casa do Psicólogo, 2004.

YOZO, R. Y. K. *100 jogos para grupos – Uma abordagem psicodramática para empresas, escolas e clínicas*. 18. ed. São Paulo: Ágora, 1996.

7. VALE UMA MAÇÃ?

Elisabeth L. Bez Chleba

O sabor de uma maçã

Compartilha-se neste capítulo uma experiência prática com a vivência aplicada da pedagogia psicodramática, fruto da evolução teórica de Maria Alice Romaña, que calçou o desenrolar do trabalho em organizações não governamentais (ONGs).

A proposta de Romaña (2004) sustenta uma visão fundamentada em diversos teóricos, baseada nas seguintes ideias:

- Participação do aluno no processo de aprendizagem de forma criativa, dentro da sua realidade de vida.
- Currículo escolar que esteja a serviço dessa proposta de aproximação.
- A prática é a melhor forma de aprender, pois as dificuldades e facilidades são evidenciadas prontamente.
- O saber deve ser propiciado no cotidiano de maneira democrática, participativa e, quiçá, antecipadamente.

Em consonância com sua visão, constatei que o processo de educação para a vida deve ser bem direcionado e cuidadoso com a realidade e as situações vividas pelo aluno, revelando-se benéfico e mais presente do que o modelo teórico, sustentado pela formalidade e pelo tradicionalismo. É nessa proposta pedagógica que se busca poder saborear uma maçã! Um sabor doce, ácido, sutil, adstringente, antioxidante e antisséptico, capaz de reduzir a absorção de gorduras, pois é muito saudável. Uma proposta educacional prática, real e viva; apesar da acidez e das dificuldades, extrai a substância principal e a saúde, enfatizando o essencial do ser.

Uma maçã sobre a mesa

Há uma infinidade de opções para agradar o professor, mas a maçã retrata uma série de símbolos históricos. O primeiro é o pentagrama: ao cortá-lo ao meio, são criadas duas imagens, formando o símbolo do conhecimento. O segundo, a lei de Newton – lei da gravidade –, ilustrada com a queda da maçã sobre a Terra. Além disso, temos a simbologia cristã da relação entre Adão e Eva, o desejo do homem pelo conhecimento. Mas o que retrata nossos costumes é o fato de que, entre os séculos XVI e XVII, a maçã era um alimento europeu, e ofertá-la aos professores, profissionais que desde aquela época não eram bem remunerados, tornou-se um símbolo de agradecimento pelo conhecimento recebido.

As histórias escritas e os desenhos infantis sempre representaram a maçã sobre a mesa do professor. A fruta era dada pelo aluno ao professor como símbolo de respeito, mérito pelo processo de aprendizado, pela boa relação construída – e, consequentemente, pela oportunidade que o mundo lhe proporcionaria por meio da educação. Hoje esse símbolo se perdeu, e as relações professor-aluno estão sendo muito desafiadas.

O que justifica retomar o símbolo da maçã no sistema de aprendizagem? Talvez, ao responder às questões a seguir, se possa definir um caminho.

- Como construir um processo de aprendizagem?
- De que forma o professor deve estabelecer uma relação com o aluno?
- Como obter uma metodologia que aproxime a realidade dos alunos do tema a ser explorado?
- Como estimular uma boa relação entre os estudantes?

Para responder a essas questões, é necessário começar a respeitar os seres presentes nessa relação, ouvir, compreender, inspirar, expirar, prezar pelo conteúdo e estruturar um caminho ativo que atenda especificamente ao grupo de alunos, mediado pelo professor.

Desde criança eu brincava com o papel de professora no "como se", sem sequer imaginar que esse papel seria um prazer na minha vida profissional exercida em organizações, assim como na educação e em ONGs. Só agora, ao escrever este capítulo, deparo com o fato de que passei a vida buscando estimular o desenvolvimento do *ser* por meio de um processo de aprendizagem.

Preparando o caminho

Ensinar parece simples. Quem detém o conteúdo repassa-o a quem não o detém. No entanto, há uma série de fatores intervenientes que devem ser considerados antes de qualquer passo:

- o conteúdo em questão;
- o local em que se processará;
- o perfil do aluno (faixa etária, condição sociocultural, formação, gênero);
- a equipe de trabalho; e
- o tipo de vínculo estabelecido no grupo.

A princípio, tenho acesso aos dados básicos dos alunos, como faixa etária, formação, estado civil etc., mas tais dados podem ser explorados com os próprios estudantes no início do trabalho. O importante é considerar o que tenho de trabalhar, qual conteúdo e onde.

Qualquer conteúdo pode ser ensinado, mas é válido conhecer o espaço quando o ensino é presencial, pois isso poderá expandir ou limitar o trabalho e o programa a ser desenvolvido. Verifico a forma de assento (cadeiras duras ou estofadas, com ou sem braço), almofadas, sofá ou o próprio solo, local para escrever se necessário for, tamanho da sala, ventilação e iluminação. Considerados dados plásticos, são essenciais, uma vez que possibilitam o conforto e o movimento na realização do projeto segundo a condição proposta.

Se o processo for virtual, é importante que os alunos estejam sentados em um local confortável, sem interferências de celular ou de pessoas, se possível usando fones de ouvido. Devem trajar roupas confortáveis, mas passíveis de ser compartilhadas na tela, e sempre manter consigo um copo d'água para se hidratar.

Tendo ciência de onde se trabalhará, é importante primeiro conhecer o grupo na relação, olho no olho, mesmo que seus integrantes já se conheçam. Esse momento é crucial para uma apresentação boa e respeitosa; é fundamental administrar o tempo de fala de cada um para que todos tenham a mesma oportunidade de se expressar. Deve-se focar a consigna, questões para apresentação feitas pelo professor, a fim de que a conversa não se perca nas histórias individuais ou reprima jovens tímidos. É um momento de aquecimento da relação.

Conhecer o aluno significa conhecer suas atitudes, formas de pensar e se expressar, e não ficar necessariamente preso ao histórico narrado – assim escreveu Pierre Weil em *O corpo fala*. A expressão corporal, a movimentação, o olhar, o tom de voz, o vocabulário, o posicionamento ao sentar-se e os movimentos das mãos são fatores a ser considerados para que o professor entenda com quem está lidando.

A apresentação é um momento ímpar para conhecer os dados dos alunos e do grupo como um todo – por exemplo, faixa etária, atividade, gênero, condição sociocultural, formação e até religião. O intuito não é investigar cada membro, pois é importante respeitá-los – e consequentemente atender à lei de proteção de dados –, mas saber com quais valores se deve lidar, atuando com zelo, dignidade e respeito na relação professor-aluno, bem como naquela que se dá entre os colegas.

A partir desse momento, entra em campo o conceito de matriz de identidade[1], o *locus nascendi*, ou seja, o ambiente que, por meio das interações e relações, propicia a condição de sobrevivência diante das questões sociais, psicológicas e materiais. Esse momento demanda muito cuidado para que sejam construídas relações promissoras professor-aluno e aluno-aluno. Observar e saber ouvir são fontes para procurar identificar em que fase da matriz os participantes estão e, consequentemente, o grupo. Essa costura delicada das relações e dos alunos, que parte do princípio da origem de seu ambiente para a relação com o todo, é fundamental para garantir o êxito do processo de ensino.

Inicialmente, a teoria da matriz de identidade foi abordada em cinco fases por Moreno, mas depois sintetizada em três para fins educacionais. A seguir farei uma correlação entre a leitura das fases e o processo de aprendizagem.

Quando se percebe que os indivíduos estão perdidos, sem diretriz nem vínculos, em uma situação caótica, notadamente eles estarão na primeira fase (fase da identidade, do eu com o tu), sendo necessário investir na etapa de aquecimento – conhecê-los, situá-los no grupo e no projeto, esclarecendo o programa e dando-lhes a oportunidade de falar individualmente de acordo com seu estilo, evitando contato físico. É mais trabalhoso, mas me parece o processo mais fácil, pois permite estabelecer certa ligação entre os participantes, dosada pela situação apresentada no "aqui-agora". É uma construção exclusiva dessa relação entre professor e alunos.

Se o grupo já vivenciou encontros ou aulas que possibilitaram ampliar sua relação, mas o processo ainda não está fluindo, os alunos poderão estar na segunda fase da matriz (reconhecimento do eu), na qual cada um se percebe e começa a perceber o outro colega; é preciso ouvi-los, compreender seu posicionamento, seu comportamento, propiciando certa interação com maior proximidade, mas ainda com reservas.

Por fim, quando deparamos com a participação envolvente, na qual todos os participantes se conhecem e são capazes de se perceber, perceber o outro e trocar de papéis com facilidade, finalmente chegamos à terceira fase (reconhecimento do tu, dos outros), na qual o movimento grupal flui e os projetos só caminham com consciência, participação de todos, convencimento e comprometimento. O engajamento é maduro e, em consequência, o resultado flui com facilidade.

É um movimento em espiral do grupo, mas nada impede que haja retrocesso e seja necessário retomar esse caminho, segundo a temática que surgir durante

---

1 Resumidamente, a matriz de identidade é conceituada em três fases para fins didáticos: 1) fase de identidade, do eu com o tu, do sujeito com os objetos circunvizinhos; 2) fase do reconhecimento do eu, de sua singularidade como pessoa; 3) fase do reconhecimento do tu, do conhecimento dos outros – e aqui nós acrescentaríamos também do ambiente (Corrêa, 2020).

o programa. O essencial é que o educador esteja atento a essas etapas e seja um observador sensível para redirecioná-las quando necessário.

Porém, esse movimento de crescimento também varia de participante para participante, dependendo de sua predisposição, maturidade e visão. Cada tema abordado poderá revelar uma fase de maturidade distinta do grupo, exigindo um olhar especial para que se possa adequá-lo a essa leitura e ajustá-lo perante o desafio apresentado. Zelo e cuidado são requeridos. O todo nem sempre revela o crescimento conjunto dos indivíduos.

No psicodrama, o educador em destaque, que direciona o processo, é denominado diretor, aquele que assume a atribuição de produtor, analista social e conselheiro (orienta para a espontaneidade), segundo Romaña (2004). Em geral, o diretor trabalha com algum(uns) colega(s) que atua(m) no papel de ego auxiliar. Este(s) exerce(m) o papel de ator coadjuvante, auxiliando nas cenas e observando a disposição do grupo diante da proposta. Essa relação é muito produtiva, pois o ego auxiliar completa a visão do grupo para que o diretor busque conduzir o programa de forma eficaz. Além disso, nem sempre este último detém todos os detalhes revelados e muitas vezes essenciais para algum desenlace problemático que possa surgir. Em outras palavras, é um trabalho de equipe que fortalece a transmissão do ensino com mais vigor e presença.

Certa vez vivi num *kibutz* em Metzer, Israel, e tive como tarefa preparar uma maionese para toda a comunidade, cerca de 150 pessoas. Eu nunca havia feito maionese, mas me lembrava do aroma quando minha avó fazia. Me entregaram 36 ovos, 24 litros de azeite e uma batedeira industrial com 60 centímetros de altura. A orientação foi clara: separe as claras das gemas e utilize só as gemas e o azeite. Coloque as gemas na bacia e aos poucos acrescente o azeite com uma concha, batendo devagar. Lá fiquei eu toda a manhã nesse trabalho. Quando chegou a hora do almoço só faltavam uma ou duas conchas, a densidade da maionese estava perfeita, e eu, doida para almoçar, virei as duas conchas de uma vez. Nheca, estragou tudo! E agora, como explicar para minha superiora de cozinha que eu tinha estragado a maionese, sabendo que a alimentação era racionada naquela comunidade judaica? Tudo era comedido, não havia desperdício de nada, vivíamos em uma área quase deserta. O que fazer com aquela bacia de maionese talhada? Entrei em pânico! Respirei fundo e fui corrigir a situação, primeiro revelando meu estrago e, depois do almoço, assistindo à correção do meu erro sob a orientação da supervisora. Aquele momento foi enfático para nunca esquecer como é importante, em todas as fases do desenvolvimento de um papel e de etapas de trabalho, seguir cautelosamente as regras e corrigir problemas antes de avançar.

O conteúdo a ser transmitido é o princípio para esclarecer o objetivo da aula e refletir novas possibilidades de lidar com o conhecimento fora do padrão do ensino teórico. É a matéria-prima a ser engendrada para programar a aula seguindo as etapas propostas por Moreno – aquecimento (inespecífico, específico), jogo dramático/dramatização e comentários. Esse fluxo permite a construção de um propósito que poderá surpreender ao ser efetuado cautelosamente, amalgamando o conhecimento com a capacidade individual e grupal de ouvir, absorver, analisar e criar sobre o conteúdo. Esse processo tem de ser vivido, praticado, respirado para ser realmente aprendido.

Assim como Romaña (2004) sistematizou a práxis educativa salientada por Paulo Freire, a consciência crítica para o processo de aprendizagem só é assumida após duas fases anteriores; a consciência mágica (o indivíduo se deixa levar pela informação sem entender) e a consciência ingênua (acredita conhecer os dados, causas e consequências, insistindo na sua própria opinião). É um processo evolutivo que leva em consideração o contexto social, econômico e cultural de onde está inserido o indivíduo, pois é desse cenário que ele absorve suas primeiras experiências e visões. Logo, ao ensinar, deve-se pavimentar o processo prático do ensino, assim como a preocupação com o desenvolvimento da consciência crítica do sujeito (Romaña, 2004).

Desafio das escolhas na juventude

Por meio do método educacional psicodramático (MEP), Romaña apresenta uma excelente oportunidade de trabalhar o conteúdo entre a realização do real, do simbólico e do imaginário; isso me permitiu desenvolver um leque criativo de programas didáticos com grupos com os quais trabalhei em um instituto profissional e religioso no centro da cidade de São Paulo.

O instituto onde atuei mantinha um projeto voltado para a educação profissional, a acolhida e o reforço escolar, principalmente para pessoas carentes da região do Centro de São Paulo.

Uma das grandes experiências que tive foi em dois projetos com jovens de 14 a 18 anos, no qual eu abordava a orientação vocacional e a consciência das questões básicas de sustentabilidade em uma cidade.

Na primeira proposta desenvolvi, em quase dois anos, um trabalho com jovens vislumbrando a identificação de uma área profissional para cada perfil. Percebi que toda a predisposição e clareza que eu tinha na forma de lidar com os participantes adultos, após uns 25 anos de trabalho em empresas, foram por água abaixo. Apesar de meu trabalho ser voluntário e de minha dedicação ser enorme, não havia reciprocidade imediata do outro lado. A juventude tem características bem distintas das dos adultos em uma organização.

Pedagogia psicodramática

O jovem parece viver uma briga interna entre o seu mundo e o mundo exterior. Nessa fase, ocorre uma profunda alteração cerebral e psicossocial. O corpo sofre grandes modificações durante o crescimento, exigindo adaptação a seus desajustes e demandando muita energia e paciência. Esse indivíduo vive um duelo tenso entre o ideal a ser alcançado e os instintos, cobiças e vontades, atraído por suas novas necessidades. É nessa fase que ele costuma se revoltar contra os pais e se afirmar nas relações tribais. Surge um movimento de dentro para fora.

Essa fase é explicada por Burkhard (2019, p. 65) da seguinte forma:

> O sentimento do jovem é o seguinte: "Eu estou aqui, com toda a minha potencialidade e quero modificar o mundo". O ensimesmar-se traz a sensação de solidão, de não ser compreendido, mas é claro que este é um estado que não se aguenta por muito tempo. Quer ser o contato com o mundo, com os outros. A forma de contatar é dando flechadas. Lançam-se críticas contra tudo e todos...

O mesmo autor esclarece: "Como um professor Waldorf disse, a criança[2] como que leva uma placa no peito dizendo: 'Fechado para reforma' ou 'Deixe-me em paz!'" A vergonha e a timidez dos meninos estão presentes, procurando reclusão, enquanto as meninas são mais provocativas e querem aparecer com formas diferentes de lidar com sua participação no mundo. O enigma perante o limite, a sexualidade, as drogas, as relações, a família, a sociedade e a profissão está lançado.

Foi nesse cenário que me atirei ao estimular os jovens a buscar seus desafios profissionais e a começar a perceber seus diferenciais e valores. Eu me esforçava para retirar rapidamente o grupo do campo tenso e entrar no campo relaxado, procurando cautelosamente estabelecer um vínculo de respeito e predisposição e vislumbrando a relação télica[3] entre professor e alunos – e vice-versa – para poder prosperar.

Lembro-me de um aquecimento que fiz com um grupo que ainda se encontrava na primeira fase da matriz, com o objetivo de abordar nesse encontro o tema "escolhas". Havia cerca de 40 jovens na sala. Comecei estimulando-os a caminhar, se cumprimentar, e solicitei que fizessem o famoso jogo sociométrico, no qual se separa o grupo em dois subgrupos com base em uma consigna proposta, por exemplo: "Quem gosta de x caminha para um lado da sala, quem não gosta vai para o outro lado. Quem torce para o time x vai para a esquerda; quem não torce segue para a direita".

---

2 Onde se lê "criança", o contexto é de adolescente
3 Termo derivado de "tele" (Fonseca, 1980, p. 19). Relacionamento de dupla direção, com igualdade, reciprocidade, mutualidade.

O grupo se movimentava sob o efeito de alguns líderes. Eu percebia que a escolha não era própria; havia dois ou três líderes que determinavam os passos dos colegas. Eu sentia um movimento de manada, nada autônomo e regido por um chefe de gangue. Até que perguntei: "Quem gosta de azul vai para a esquerda, quem não gosta fica no lado oposto". Havia um rapaz forte, usando uma camisa azul real sobre uma camiseta branca. Ele simplesmente se movimentou para o grupo de quem não gostava, porque o líder assim o fez, e conforme caminhava ia tirando a camisa. Esse movimento me sensibilizou como uma bomba.

Como diretora, senti que de nada valeria evidenciar naquele momento a inadequação. A realização simbólica da proposta da escolha da cor da camisa revelou uma incoerência de atitude. A falta de condição de realizar escolhas próprias estava embasada em algo muito maior, que talvez regesse o movimento do tráfico e poderia colocar o rapaz em uma situação negativa. Evidenciei o fato com uma fala de brincadeira, para aliviar o campo tenso criado. Respirei fundo e segui com o exercício até que, após duas outras consignas, perguntei: "Quem fuma e quem não fuma". O grupo se sentiu acuado, pois os participantes estavam em uma instituição onde o fumo não era aceito, e essa revelação poderia evidenciar uma série de identificações malvistas. Só dois rapazes, que eram líderes, assumiram o fato de fumar, como se fosse uma postura de superioridade naquele meio; apesar de saberem que não levava à saúde, era um ato consciente. Aproveitei o momento, o "aqui e agora", para salientar o que é uma escolha clara, autônoma e não encabeçada pela massa.

Sutilmente, fui abordando o conteúdo sobre escolhas e seus reflexos, a influência e a importância do grupo e dos líderes nessa faixa etária, que podem encaminhar o jovem para o bem e também para o mal. Caberá ao adolescente ser capaz de escolher a vida que quer levar. Conforme eu ia encerrando o jogo, os ecos sobre o tema tomavam forma e eu percebia que os participantes tinham passado a olhar para aquele movimento de aparente brincadeira com seriedade e introspecção para a vida. O jogo de aquecimento tornou-se o epicentro; foi tão forte que bastou para aquele encontro. Os comentários, que sempre variam nessa faixa etária entre eufóricos e silenciosos, resumiram-se a poucas falas e uma saída reflexiva, a fim de quebrar as conservas do grupo.

Nessa proposta, procurei abstrair da realidade deles seus valores e gostos, para que se percebessem individual e coletivamente. Em seguida, ao evidenciar simbolicamente suas escolhas, foi possível colher dados de como eles se percebiam e se autorizavam sentir, revelando que muitos acabavam abafando seu sentimento em face do desejo grupal. Por fim, foi possível explorar imaginariamente as escolhas que farão na vida – serão capazes de se respeitar? Esse jogo dramático simples marcou a postura da juventude no duelo entre o seu eu e o eu grupal.

A vivência colheu da realidade percepções e sentimentos que, no final, foram generalizados em uma leitura suficientemente sutil, coletiva e silenciosa para introjetar o processo de aprendizagem das escolhas de vida saudáveis. Esse tema foi retomado na sessão seguinte, sendo aprofundado e direcionado para as escolhas de carreira. A conceituação aplicada, trazida pelo MEP, é um apoio muito eficaz para o papel do diretor.

A arte a favor da educação para a vida

Com grupos menores, segui com uma proposta mais refinada, procurando auxiliar individualmente cada membro. Gosto muito de lidar com instrumentos intermediários, como imagens de obras de arte, para trabalhar as escolhas e provocar a abertura de novos olhares por meio de jogos. Assim é possível aguçar a necessidade de pesquisar e conhecer realmente o que há em volta. Como a instituição ficava ao lado da Pinacoteca do Estado de São Paulo, propus ao grupo reconhecer e explorar o que havia atrás dos muros e pedi autorização para fazer uma visita ao museu. Os jovens passavam na frente dele todos os dias e jamais acreditaram que fosse possível visitá-lo.

Como o grupo já se encontrava na terceira fase da matriz, a dinâmica para seguir em frente estava sedimentada. Fomos a pé até o local, para tanto tendo de atravessar o Parque da Luz. Curiosamente, algumas meninas ficaram receosas de seguir nesse trajeto porque diziam que ali havia muitas prostitutas. Expliquei que com o grupo unido nada ocorreria, e que além disso aquelas mulheres estavam trabalhando, e seguimos. No parque há uma série de obras de arte instaladas, valiosas e belíssimas. Eu as admirava quando de repente ouvi uma garota chamando outra ao olhar para a escultura "Craca", de Nuno Ramos, e dizer: "Fulana, quantos quilos de metal tem aqui para vender?" A outra respondeu: "É, realmente, dá uma boa grana".

Chamei a atenção do grupo para observar a obra e ali começamos a trabalhar o real, o simbólico e o imaginário. O grupo falou sobre a realidade (realização real) de quanto valia o metal e de como era importante ganhar com a venda, mas começamos a discutir o que o artista tinha realizado, o processo de construção, a engenhosidade, a técnica, fazendo uma análise dos fatos. Passei a explorar os sentimentos de cada jovem diante da riqueza da obra. De repente, várias sensações e percepções foram reveladas e inserimos a realização simbólica sobre o contexto. Eles se permitiram sentir (realização simbólica).

Por fim, para que percebessem a ideia que o artista queria transmitir com aquele projeto artístico, levei os jovens a uma reflexão imaginária (realização imaginária) sobre o significado da obra de Ramos e como isso ressoava em cada um como cidadão, aflorando uma visão subjetiva e provocando uma nova concepção.

Dessa forma, ao olhar para um monte de metal, eles começaram a apreciar o objeto em si e a transpor seus sentimentos e sensações sobre o significado artístico da obra. Um exercício de leitura da arte que nunca tinham se permitido. Foi uma vivência sociodramática riquíssima; eu não imaginava quanto conhecimento aqueles garotos poderiam absorver caso tivessem a oportunidade de ampliar seu olhar. Pude colher solilóquio, fazer inversão de papéis no "como se" com o artista e ampliar a visão do grupo.

Assim que efetuaram os comentários, eles quiseram dar uma volta no parque para explorar outras obras e ampliar seu raciocínio. Nessa vivência, discutimos e analisamos a realidade do grupo e exploramos sinteticamente o símbolo da obra, além de generalizar para as demais obras com as quais depararam. No "aqui e agora", vi a consciência crítica de Paulo Freire aflorar, trazida na pedagogia do drama.

Nesse sentido, deparo com a visão de Vigotski, com a concepção de aprendizagem proveniente das percepções exteriores, levadas à interiorização por meio da linguagem interna, que fomenta construir abstrações, tais como a visão de uma cidade-modelo.

> A aprendizagem para os socioconstrutivistas vigotskianos ocorre por assimilações de ações exteriores e interiorizações desenvolvidas por meio de linguagem interna que permite formar abstrações. A finalidade de aprendizagem é a assimilação consciente do mundo físico mediante a interiorização gradual de atos externos e de suas transformações em ações mentais. Nesse processo, a aprendizagem se produz pelo constante diálogo entre o exterior e interior do indivíduo, uma vez que, para formar ações mentais, são necessárias trocas com o mundo externo. Por meio de sua interiorização, surge a capacidade das atividades mentais abstratas, e estas, por sua vez, permitem levar a cabo ações externas. (Argento *apud* Souza e Drummond, 2018, p. 73)

Estímulo de uma consciência sustentável

Outro trabalho marcante, ocorrido em 2006, foi um treinamento no qual explorei o tema das cidades sustentáveis enquanto me debruçava sobre a realização de uma exposição denominada *Corpo d'Água*, realizada no Parque do Ibirapuera com a Secretaria do Verde e do Meio Ambiente de São Paulo.

Eu estava com cerca de 15 jovens na sala da mesma ONG mencionada antes, no centro da cidade, e iniciei abordando a problemática da sustentabilidade e da urbanização. Apresentei dados reais, provocando uma análise dos fatos. Na sequência, após um leve aquecimento específico, propus uma atividade sociodramática. Limitei um espaço quadrado no chão da sala e pedi que o grupo, com o uso de tecidos, demarcasse esse espaço, representando os edifícios e instituições necessários para existir em uma cidade saudável, uma cidade dos sonhos.

Formado por cidadãos de uma metrópole, o grupo tinha ciência dos problemas reais de onde vivia. Todos discutiram e analisaram os fatos e partiram para a execução simbólica do que desejavam como cidade ideal. Após a montagem do mapa da cidade, pedi que esclarecessem o significado de cada tecido, questionei se queriam alterar algo e por fim troquei os tecidos pelos jovens gradativamente. Quando o mapa da cidade tinha sido substituído pelos alunos, indaguei como cada um se sentia ali e dei movimento à dinâmica da cidade.

Foi surpreendente. Eles tinham projetado uma cidade tal qual aquela em que viviam: a residência longe do trabalho e da escola, o rio passando ao lado da fábrica, o hospital distante, e assim por diante. Uma cidade com falhas logísticas, dificuldade de ensino, falta de recursos hídricos e alimentos, com enorme incapacidade de gerar uma boa condição de vida ao seus habitantes. A proposta ideal tinha sido ofertada, mas o grupo deparou com as conservas culturais e a falta de conhecimento técnico. A realização simbólica gerou expectativas e sensações que não foram acolhidas em um primeiro momento, até que remontassem a cena após uma discussão/reflexão. Eles deveriam ter um olhar generalizado sobre a soma de fatores que tangem uma cidade e, por fim, constituir a realização imaginária que atendesse às suas demandas.

Foi um rico momento para explorar a teoria da cidade sustentável, a importância do zelo com os recursos hídricos e de solo, bem como promover novamente a consciência crítica após a dramatização.

Com o MEP, ampliou-se a visão urbana por meio da espontaneidade e da criatividade. Ademais, o grupo percebeu novas possibilidades para lidar com os recursos naturais ao vivenciar o real papel de cidadão em busca de uma cidade que atenda às demandas sociais de uma população que carece de ofertas justas de ensino, saúde e trabalho.

Em seu livro *Conversas1@pais-filhos.com*, Motta (2014, p. 72) explica que a cidadania está vinculada ao comportamento de consumo, sendo necessário aprender a compartilhar as vontades e a construir juntos: "Cidadania é uma construção constante, nos chama a superar o comodismo. É preciso se dispor a buscar, em grupos, soluções para problemas sociais. Não podemos esperar que caia do céu! Também sabemos que sozinho não dá. Precisamos do outro desde sempre".

Assim, percebe-se que a interferência com o jogo psicodramático (processo de interferência grupal por meio da aplicação de um jogo adequado para a fase da matriz de identidade do grupo, sob condução, técnicas e leituras psicodramáticas) provoca uma quebra de conserva cultural de jovens que estão em busca de criar valores nem sempre cônscios da real demanda; ou seja, uma provocação consciente sempre colabora.

A prática do jogo psicodramático em todas as atividades estimulou o movimento de um campo tenso para um campo relaxado de conduta, possibilitando que os jovens expressassem, na vivência, seu próprio mundo, o que aguçou sua espontaneidade e criatividade (Monteiro, 2012). Essa percepção vivenciada e elaborada internamente constitui o crescimento do processo educativo. Yozo (1996) enfatiza que o jogo é voluntário, conta com regras específicas e absolutas, oferece um tempo delimitado, um espaço delimitado pelo contexto dramático, resgata a ludicidade e tem um objetivo. Essas características comprovam que não se trata de brincar, e sim de uma proposta planejada, estruturada, considerando os recursos materiais, o contexto dramático (físico ou virtual), o perfil do grupo em questão e o objetivo. No entanto, apesar de todo o cuidado antes de introduzi-lo no aquecimento ou como jogo dramático, o diretor, com o apoio do ego auxiliar, deve estar atento à matriz de identidade do grupo, à sua dinâmica no aqui agora, e identificar eventuais interferências a ser administradas para a boa condução do trabalho.

Ao se prover de uma abordagem como a pedagogia do drama, é possível se munir de uma série de conceitos morenianos, vigotskianos e freirianos, entre outros, calçando o olhar na relação construtiva educador-educando. Romaña (2004) enfatiza que a prática do método constitui o exercício da tolerância, diversidade, coragem de expressão, apreciação estética, ternura, solidariedade, compaixão e aceitação dos erros – e do aprendizado com base neles.

"O educador de talento sabe que a prática do 'ensinar a aprender' envolve a interação e *feedback*", conforme assinala Ricotta (2006, p. 61). É uma relação de ida e volta, como afirma a autora. Quando se ensina se aprende. A relação é constituída pelo crescimento mútuo.

O método que propicia um aprendizado deve envolver toda a relação entre corpo, mente e ambiente, unindo percepção, razão e emoção. Se considerada uma vivência 360 graus, o conteúdo apresentado deverá levar o aluno a novos desafios praticáveis. Se não houver o envolvimento completo do ser e do ambiente em que ele vive, a aprendizagem não se fundamenta. Mas, se tal envolvimento existir, o mundo será presenteado com respostas espontâneas e criativas.

O exercício da tão esperada espontaneidade apresentada por Moreno é provocado por Romaña (2004, p. 71) ao retratar a importância de saber lidar com as concepções aparentes e ocultas trazidas por Bonder (1995) no livro *O segredo judaico de resolução de problemas*. Ao deparar com o conteúdo aparente, tudo é claro e revelado, gerando uma comunicação rápida e simplista. No entanto, há um lado oculto, encoberto, que não é tido como óbvio. Não porque se queira; afinal, muitas vezes ele é inconsciente. "É olhar a onda sem olhar o mar inteiro", como diz Romaña. Para penetrar nesse campo como educador, é preciso amor, entrega, tolerância, persistência, pois o oculto é o dinâmico escapando do controle. O acesso a esse mundo ocorre muito mais pela ação do que pela razão. Nessa linha, possibilita uma transformação, pois a ação provém da capacidade de discernir, agir e se comprometer.

Ao penetrar nesse tema, verifiquei que os sociodramas vividos tanto pelo rapaz de camisa azul quanto pelo grupo de alunos que compreendeu o valor das esculturas no Parque da Luz, bem como pelo grupo que concebeu uma cidade sustentável, vigoraram por terem sido conduzidos à ação pelo protagonista/grupo protagônico e validados pela plateia, por meio de comentários e do discernimento das atitudes experienciadas, levando à espontaneidade e à criatividade.

Tomei ciência de que, se não houver um educador capaz de estimular o olhar desses alunos com amorosidade, pautado nos valores construídos dessa relação, nada fluirá. Caberá ao professor fazer aflorar o potencial existente em cada aluno, provocando uma reflexão construtiva, analítica, transformadora e, por fim, espontânea e criativa. O "aqui e agora" se consagrou como a entrega da maçã ao professor.

Considerações finais

O sabor de uma maçã, com sua leve acidez e docilidade, retrata que a teoria de Romaña, iniciada pelo MEP e chegando ao psicodrama pedagógico, é viva, presente e integradora. Entrelaça conceitos bem fundamentados, humanos, justos e acessíveis à realidade de vida do aluno/participante, facilitando seu crescer, sendo ele coparticipante do seu desenvolvimento.

A Romaña, com quem pude compartilhar essas cenas, discuti-las e cujo convívio pude degustar, entrego com muito carinho a minha maçã.

REFERÊNCIAS

ALMEIDA, W. C. "Técnica dos iniciadores". In: MONTEIRO, R. F. (org.). *Técnicas fundamentais do psicodrama*. São Paulo: Ágora, 1998.

BURKHARD, G. *Tomar a vida nas próprias mãos*. 7. ed. São Paulo: Antroposófica, 2019.

CORRÊA, A. "Matriz de identidade". In: ROMANO, C.; BEZ CHLEBA, E. *O encontro com a sustentabilidade – Contribuições do psicodrama*. São Paulo: Polo Printer, 2020.

FONSECA, J. S. *Psicodrama da loucura*. São Paulo: Ágora, 1980.

MONTEIRO, E. *Criando adolescentes em tempos difíceis*. 2. ed. São Paulo: Summus, 2009.

MONTEIRO, R. F. *O lúdico nos grupos – Terapêuticos, pedagógicos e organizacionais*. São Paulo: Ágora, 2012.

Motta, J. *Conversas1@pais-filhos.com*. 2. ed. Campinas: Pontes, 2014.

Pontes, R. L. *A relação educador-educando – Um projeto psicodramático baseado em Moreno*. São Paulo: Ágora, 2018.

Ricotta, L. *Valores do educador – Uma ponte para a sociedade do futuro*. São Paulo: Ágora, 2006.

Romaña, M. A.; *Pedagogia do drama – 8 perguntas & 3 relatos*. São Paulo: Casa do Psicólogo, 2004.

Romano, C.; Bez Chleba, E. *O encontro com a sustentabilidade – Contribuições do psicodrama*. São Paulo: Polo Printer, 2020.

Souza, A.C.; Drummond, J. *Sociodrama na educação*. Rio de Janeiro: WAK, 2018.

Yozo, R. Y. K. *100 jogos para grupos – Uma abordagem psicodramática para empresas, escolas e clínicas*. São Paulo: Ágora, 1996.

8. Pedagogia psicodramática como metodologia ativa na formação de pedagogos

Cristina Jorge Dias

Introdução

No meu papel de professora nos cursos de Pedagogia e Letras durante dez anos, o grande desafio sempre foi buscar metodologias inovadoras para ministrar minhas aulas e oferecer propostas de atividades participativas para os alunos com o objetivo de estimular sua criatividade em sala de aula. Nesse sentido, a abordagem da pedagogia psicodramática, idealizada por Maria Alicia Romaña, mostrou-se uma importante ferramenta mediadora na transposição do método moreniano para o campo educacional, na medida em que contribui para que os próprios alunos desenvolvam uma concepção crítica de educação e também de ser humano.

Relatamos neste capítulo uma pesquisa realizada em uma faculdade particular na cidade de São Paulo, com 16 estudantes do último ano de Pedagogia, que tinham entre 22 e 66 anos de idade quando fui professora dessa turma. Em março de 2020, quando eles estavam no oitavo semestre e já em contagem regressiva para se formar, houve a pandemia de Covid-19. Realizamos duas aulas *online* para que eles pudessem compartilhar suas dificuldades e para que eu lhes apresentasse uma noção do psicodrama no contexto da educação, justamente com foco na formação do pedagogo.

No papel de pesquisadora, meu objetivo foi compreender quais seriam as contribuições do psicodrama, por meio do uso da composição psicodramática jogo dramático, na formação do educador consciente do significado de seu futuro papel profissional, tendo como pano de fundo o contexto de incertezas oriundo da pandemia e de seus desdobramentos.

Daremos destaque também ao uso do objeto intermediário em minha experiência, cuja função foi a de facilitar o processo de comunicação, representar simbolicamente os conceitos sobre determinado tema e incentivar uma abertura nos relacionamentos entre as pessoas, além de promover a passagem do campo tenso ao campo relaxado em um momento de cobranças com relação ao final do curso.

Durante a pandemia, a educação *online* trouxe um novo cenário tecnológico para os processos de ensino-aprendizagem. Esse deve ser considerado um desafio tanto para as instituições de ensino como para o trabalho dos professores e dos alunos – e, consequentemente, para a realização da experiência que relatarei.

A pedagogia psicodramática: alguns elementos estruturantes

Buscando elaborar um método didático que integrasse as necessidades do ser humano, Maria Alicia Romaña trilhou um longo caminho. Conseguiu, com muito empenho, criar uma proposta educacional que integrasse pontos de vista diversificados, basicamente pautada em três bases teóricas que influenciaram fortemente o seu pensamento: a pedagogia da autonomia de Paulo Freire, a teoria sócio-histórica de Vigotski e, evidentemente, o psicodrama de Jacob L. Moreno.

De acordo com Dias (2020), Romaña deixou seu corpo teórico mais consistente ao somar os pontos principais da socionomia de J. L. Moreno, os conceitos de Paulo Freire – que envolvem a ética no papel do educador e a consciência crítica – e as ideias inovadoras de Vigotski, tendo o educador como mediador, a noção de construção do pensamento e, sobretudo, a compreensão do ser humano como sujeito histórico.

A prática educativa de Paulo Freire corrobora os preceitos do psicodrama de J. L. Moreno ao ser, tanto para quem aprende como para quem ensina, uma experiência que integra a afetividade, os desejos e a busca constante do conhecimento. Os dois autores concordam que a abertura para o aspecto cognitivo requer a disponibilidade da alegria do encontro com o outro e com os grupos sociais. E também colocam suas teorias a serviço da transformação individual e social. Segundo Freire (1997), o ser humano aprende com o corpo inteiro, com os sentimentos, com os desejos e também com o aspecto racional. O autor diz que jamais podemos separar o aspecto cognitivo do emocional e do relacional.

Marino (2019) reforça que, no empenho de construir uma pedagogia psicodramática, as relações com Paulo Freire evidenciam-se na busca de articular o pensar com um agir ético, o individual e o coletivo, considerando o ser humano e seu contexto de vida, visando a seu desenvolvimento como pessoa e como membro de uma sociedade. Nas ideias inspiradas por Freire e Moreno, os educadores e os educandos educam-se nas ações de reciprocidade entre afeto e conhecimento.

Vigotski nos traz as funções psicológicas superiores – percepção, pensamento, atenção, memória, imaginação e vontade – somadas ao conceito de nível de desenvolvimento proximal para reforçar o valor da cooperação na relação entre professor e o aluno. Tais aspectos também são muito valorizados na pedagogia psicodramática. O trabalho realizado na sala de aula deve valorizar a importância da diversidade, percebendo os diferentes interesses e necessidades dos alunos e a sensibilidade para ver e ouvir o aluno real que está em sala de aula, em vez de um aluno idealizado por estereótipos sociais.

Vigotski e Moreno relacionam o psiquismo humano com a afetividade, a linguagem e a cognição e com as práticas sociais em geral. Ambos levam em consideração tanto a influência social sobre o comportamento quanto a participação individual na permanente construção da própria cultura. Para Moreno, a formação da identidade se dá por sucessivas tomadas de papel na interação entre as pessoas. Vigotski considera que o ambiente social atua em uma zona de desenvolvimento proximal na qual, nas relações interpessoais, uma pessoa colabora significativamente com o desenvolvimento de seu par menos experiente no desempenho de determinada função em um contexto específico.

Segundo Cunha Urt (1997), os conceitos teóricos do psicodrama, em conjunto com a psicologia sócio-histórica, se dão por meio da mediação entre a linguagem e as emoções, que Moreno e Vigotski apontam como o espaço da possibilidade de mudança de consciência. É na unidade entre ação e palavra, na vivência psicodramática, que se dão o resgate e a superação dos papéis cristalizados, que podem ser recriados. Quando o sujeito se permite ser psicodramaticamente espontâneo, quando por meio da ação ele integra pensamento e emoção, as contradições que vive e suas experiências são evidenciadas e compreendidas. Com isso, o sujeito se torna mais presente e agente de sua trajetória e história de vida.

Segundo Dias (2021), a pedagogia psicodramática reúne a compreensão dos fenômenos psicológicos, tanto com base na socionomia quanto na psicologia histórico-cultural, que tem como princípios a dinâmica entre o indivíduo e a sociedade. Nesse sentido, Vygotsky (1998) defende que a compreensão histórica dos fenômenos psicológicos ocorre justamente na relação dialética estabelecida entre as pessoas em seus ambientes sociais e culturais. Moreno (1994) compreende que a intersecção do ser-humano-em-relação está na base da tricotomia social, que é composta pelas três dimensões: a sociedade externa, a realidade social e a matriz sociométrica.

Pedagogia psicodramática como metodologia ativa de ensino

Segundo Kim (2018), as metodologias ativas são métodos de ensino que favorecem os vínculos na relação entre professores, alunos e conteúdos didáticos. Sustentam-se na aprendizagem significativa por descoberta, estimulando a criatividade voltada para a solução dos problemas práticos. Essas metodologias se baseiam nas abordagens pedagógicas críticas dos conteúdos, permitindo que o aluno aprenda, critique e transforme a realidade. Trata-se de uma concepção integral que visa à passagem da disciplinaridade para a interdisciplinaridade. Cabe ao professor conquistar a autonomia e ter responsabilidade nas práticas de ensino referentes aos componentes da aprendizagem e à avaliação.

Nery (2019) pesquisou por muitos anos o sociodrama, um método ativo na intervenção educacional. O sociodrama visa estimular a criatividade dos participantes do grupo, integrando o modo de pensar e de ser das pessoas a suas alternativas de resolução de problemas. De acordo com a autora, a pedagogia psicodramática pode ser adotada como metodologia ativa de ensino, em que o estudante vivenciará os conteúdos disciplinares por meio de personagens e demonstrações concretas de pensamentos para uma nova cena. A aprendizagem vivencial é coconstruída por todos os alunos de forma ativa e criativa durante o processo educacional. Nessa concepção de aprendizagem está contido o respeito ao conhecimento do aluno como indivíduo único que contribuirá para as tarefas grupais, visando ao diálogo empático e ao processo inclusivo.

Segundo Marino (2019), os três ramos da socionomia – a sociodinâmica (estuda as estruturas das relações dos grupos), a sociometria (ciência que avalia a medida do relacionamento humano, considerando escolhas perante diferentes critérios) e a sociatria (cuida e trata dos relacionamentos sociais) –, quando articulados, possibilitam ao socioeducador encaminhar projetos em diferentes contextos voltados para a exploração de temas culturais, facilitar as relações de trabalho em equipe e gerar uma aprendizagem significativa.

Para Dias (2021), em detrimento da metodologia tradicional de ensino – que valoriza a transmissão de conteúdos de forma teórica e a abordagem centrada no papel do professor enquanto autoridade do saber –, cabe ao profissional com formação em Pedagogia Psicodramática contribuir para que novos educadores atuem para construir a escola como local de inserção social inovador e emancipador, em contrapartida ao estilo da educação conteudista, contribuindo, assim, para estabelecer uma relação professor-aluno pautada nos princípios da espontaneidade e da criatividade.

Altarugio (2019) defende a pedagogia psicodramática como método ativo na aprendizagem pelo fato de levar em consideração que o aluno aprende em contato com as situações concretas que farão sentido em suas atividades futuras. O aluno aprende muito mais quando o método é ativo, pois participa da construção de seu próprio conhecimento. O indivíduo amplia sua experiência quando está envolvido em uma atividade que gera curiosidade por assuntos diversificados.

Dadas essas concepções, compreendemos que a proposta da pedagogia psicodramática, como idealizou Maria Alicia Romaña, pautada no arcabouço moreniano, afina-se com as perspectivas que buscam uma educação para o século XXI, solicitada pela Unesco a pensadores do mundo todo na virada do milênio, ou seja, na promoção do "aprender a conhecer, aprender a fazer, aprender a viver juntos e aprender a ser". Aplica-se não somente aos aprendizes nas instituições de ensino, mas aos professores que nelas se formam e trabalham.

O jogo dramático

De origem latina, a palavra "jogo" indica o gracejo; seu significado etimológico refere-se a passatempo, divertimento, brincadeira. Assim, o termo representa uma metáfora da vida. Isso fica claro na expressão popular "É preciso ter jogo de cintura", e também na mensagem da canção de Elis Regina: "Nem sempre ganhando, nem sempre perdendo; mas aprendendo a jogar".

No psicodrama, de acordo com Monteiro (1994), o objetivo do jogo é permitir que o indivíduo manifeste livremente as criações de seu mundo interno, transpondo-as na representação de determinado papel pela elaboração mental de uma fantasia ou por uma atividade corporal.

Segundo Baptista (2019), é difícil imaginar no psicodrama episódios de aprendizagem sem que haja representação de cena e experimentação de novos papéis. No contexto dramático, as pessoas representam cenas da vida real ou elaboram situações com base em suas fantasias. Por meio de cenas que imitam a realidade, os atores experimentam novas imagens criativas e interações relacionais. O baixo nível de conflito proporcionado pelo contexto dramático estimula expressões criativas que nos oferecem novas possibilidades de interlocução com personagens originais e com os enredos inéditos.

Os jogos dramáticos permitem verificar até que ponto o indivíduo percebe o outro e até que ponto consegue inverter os papéis, ou seja, se colocar no lugar do outro. Por exemplo, o professor consegue se colocar no lugar do aluno e o aluno se coloca no lugar do professor ou de outros colegas. Também têm o objetivo da comunicação e da integração a fim de elucidar as redes sociométricas, isto é, as relações do indivíduo no grupo.

O objetivo da aplicação do jogo dramático nesse trabalho foi permitir que, por meio do lúdico, os alunos realizassem uma retrospectiva pedagógica dos quatro anos de faculdade, refletindo sobre os professores e as disciplinas que foram significativas e que desejavam levar para o resto da vida. Assim, eles exploraram seu potencial de criatividade e imaginação e, durante o desenvolvimento do jogo dramático, puderam experimentar situações inusitadas e inéditas que foram além do ensino tradicional.

O objeto intermediário

O conceito de objeto intermediário surgiu das investigações realizadas por Rojas--Bermúdez, em 1969, com psicóticos crônicos no Hospital Psiquiátrico de Buenos Aires. As graves dificuldades no sistema de comunicação daqueles enfermos levaram Rojas-Bermúdez (1970) a introduzir tal objeto nas sessões para estabelecer um vínculo com os pacientes e levá-los às influências da psicoterapia. Esse autor definiu o objeto intermediário como um instrumento que permite atuar terapeuticamente sobre o paciente sem desencadear nele estados intensos de alarme.

O objeto intermediário foi adotado nesse trabalho por funcionar, no contexto educativo, como um recurso que estimula a criatividade e a imaginação devido a sua capacidade de mediar a passagem de um estado de entrave na comunicação para um diálogo mais espontâneo e fluido.

Segundo Castanho (1995), o objeto intermediário é qualquer tipo de objeto que facilite o contato entre as pessoas. Pode ser, por exemplo, um pedaço de papel, uma corda, uma bexiga que sirvam para abrir os canais de comunicação, como símbolos da expressão do afeto entre as pessoas.

O objeto intermediário amplia a visão além do contexto terapêutico e pode ser usado nas intervenções na escola e no campo socioeducacional em geral. É um disparador para criar e recriar o cenário, fazendo os indivíduos entenderem o espaço e o tempo em que as coisas acontecem. Permite perceber que ainda se está ligado a algum fato que se passou, trabalhando os medos, as fantasias vividas pelas pessoas no passado com o objetivo de ressignificar o futuro e para que esses indivíduos possam apresentar respostas inovadoras (Souza e Cassane 2016).

Educação *online* durante a pandemia

> Foram muito estranhos os primeiros dias. Obrigados a um recolhimento, forçados a uma solidão, a uns e a outros foi dado um tempo novo. À deriva, sentia-se o silêncio e o peso dos dias numa desordem em que as paredes de casa eram porto de abrigo. As ruas, vazias de pessoas e de carros. Foi um tempo de silêncio, mudo. Foi um tempo fechado. (Melo, 2020)

Quem viveu a pandemia lembrará que em março de 2020 experimentamos exatamente as sensações descritas acima. Ao reconhecer que as saúdes mental e física caminham juntas, Erika Dias e Fátima Pinto (2020) consideram que a duração do confinamento prolongado, o medo da contaminação pelo vírus, a falta de local apropriado de estudo em casa e a falta de contato presencial com os colegas de classe tornam o aluno menos ativo do que se estivesse na sala de aula; são fatores estressores, que atingem a saúde mental de uma parcela dos alunos da educação básica e de seus familiares. Os autores alertam que é necessário estimular a resiliência, a solidariedade e a continuidade das interações dos educadores e alunos nesse momento, pois isso ajuda a minimizar o impacto psicológico negativo da pandemia. O que interessa é reduzir os altos níveis de estresse e de ansiedade que o confinamento provoca nos estudantes durante o isolamento social.

Segundo pesquisas recentes de Kramm, Angelo e Velasco (2020), a adoção improvisada da educação *online* tem encontrado pelo menos duas grandes barreiras. De um lado, muitas escolas não estavam preparadas para tal implementação. Sem formação adequada, professores e coordenadores pedagógicos têm se esmerado para produzir materiais instrucionais de qualidade (aulas *online,* videoaulas gravadas, tarefas e avaliações) que possibilitem condições mínimas de ensino. Os autores complementam que, de outro lado, os alunos não foram preparados para essa modalidade de ensino. Muitos não têm as habilidades de estudo autônomas para conseguir aprender em casa sem o contato direto com um professor, o que impôs um desafio adicional aos familiares.

Os estudos resgatados por esses autores apontam como sintomas psicológicos mais comuns: insônia, ansiedade, exaustão emocional, humor baixo e irritabilidade, sendo os dois últimos os de maior incidência. Em suas pesquisas (Kramm, Angelo e Velasco, 2020) foram identificados sentimentos como medo, tristeza, confusão e raiva. Alguns aspectos gerais da rotina podem fornecer pistas aos pais e familiares sobre o comportamento de crianças e adolescentes nesse período, como verificar se mantêm contato social com outras crianças, ainda que virtualmente, observar se conseguem estabelecer uma rotina diária e estar atentos aos cuidados com a higiene, por exemplo. Mudanças no padrão de sono e alimentação podem indicar dificuldade de lidar com essa situação.

Pesquisas recentes realizadas por Muñoz e Mafra (2020) com professores do ensino básico e da educação superior registraram diferentes formas de os educadores lidarem com as novas tendências tecnológicas. Alguns ficam totalmente dependentes delas e acabam não enxergando o mundo real, que se transformou tão rapidamente em função da pandemia. Outros professores rejeitam as novidades que surgem rapidamente; muitos outros estão conseguindo utilizá-la para facilitar a comunicação, a aprendizagem e o compartilhamento de ideias, projetos e práticas pedagógicas.

De acordo com Bauman (2003), quando estamos em uma comunidade podemos contar com o auxílio dos demais participantes. Se porventura deparamos com dificuldades, as pessoas que estão ao nosso redor nos estendem a mão e nos ajudam. Assim, encontraremos ombros amigos sempre que precisarmos de auxílio. Nesse universo das comunidades virtuais, o que nos faz sentir pertencentes é justamente ajudar e ser ajudado. Muñoz e Mafra (2020) explicam que é com esse sentimento que estão sendo formadas as novas comunidades virtuais – como uma rede de apoio entre os próprios professores, que passaram do presencial para o virtual sem direito a qualquer tipo de treinamento por muitas escolas e universidades.

Paulo Freire (1997) considera que ensinar exige que os educadores estejam atentos às mudanças, que acontecem com muita velocidade. É preciso que eles tenham noção dos fenômenos a seu redor. Diante dos desafios, os educadores devem estar disponíveis para aprender e assimilar e, com isso, se tornar seres únicos e aptos a se reinventar constantemente.

Segundo Oliveira (2020), estamos vivendo um tempo de incerteza, mas também de esperança. Um saldo positivo que a pandemia trouxe foi o trabalho colaborativo, desenvolvido com maior partilha de tarefas e sentido de corresponsabilidade e compromisso ao sermos flexíveis para resolver os problemas, o que gerou colaboração entre os professores. Foi um tempo que não deixou de ser de preocupação e de angústia, de cansaço e de desafio, mas que também trouxe oportunidade de crescimento pessoal e profissional. Um tempo de desenhar na areia inexplorada nossos novos passos.

Metodologia

Os dados foram coletados por meio das anotações da aula presencial realizada em 2019 e das duas aulas *online* em maio de 2020. Por se tratar de uma pesquisa qualitativa, foi realizada uma análise mais ampla e aberta dos comentários dos alunos, buscando estabelecer uma conexão entre os referenciais teóricos do psicodrama no campo da educação, voltado especificamente para a formação de pedagogos.

Parte I: a aula presencial
O relato da aula presencial, realizada em 2019, será necessário para contextualizar a problemática originada pela união de duas turmas em momentos diferentes do curso, que foi caracterizada pela resistência no convívio e na integração dos alunos. Foi realizada uma oficina de integração, na disciplina de Interdisciplinaridade, a fim de que os 50 alunos presentes conseguissem quebrar preconceitos e barreiras e, assim, estabelecer uma convivência mais harmônica entre si. Dividiremos o relato em três etapas, segundo o psicodrama, a saber: aquecimento, dramatização e compartilhamento:

a) Aquecimento I: escrita e entrega das cartas. Nessa etapa, todos os alunos escreveram cartas para os colegas sob a consigna: *Qual é a sua mensagem de apoio ao aluno do 8º (ou 7º) semestre?*

b) Aquecimento II: jogo dramático "A fileira da comunicação". Nessa etapa, os alunos formaram duas fileiras, uma de frente para a outra. Formando duplas, eles conversaram sobre o começo, o meio e o fim do curso de Pedagogia. E também falaram sobre suas expectativas quanto ao mercado de trabalho para o pedagogo.

c) Aquecimento III: jogo dramático "A teia interdisciplinar". Ainda na mesma etapa, os alunos formaram um grande círculo na sala e cada pessoa jogava a ponta de um barbante para alguém que estava na outra ponta da sala, respondendo à consigna: *O que eu te desejo para 2020?*

d) Dramatização: retrospectiva pedagógica. Como trabalho de avaliação desse semestre, os alunos relembraram as disciplinas mais marcantes durante os quatro anos do curso. Depois, se reuniram em grupo para confeccionar um objeto que representasse a integração dessas disciplinas. Por fim, compartilharam o que aprenderam com essa retrospectiva pedagógica sobre os temas e conteúdos aprendidos durante os quatro anos e também refletiram sobre os professores mais marcantes. Os objetos nomeados pelos nove grupos foram: roda-gigante; livro da sabedoria da coruja; nuvem com luz piscante; notas musicais; trenzinho; filtro dos sonhos; baú com fotos; quebra-cabeça e guarda-chuva.

e) Compartilhamento: apresentação dos objetos. Nessa etapa, os nove grupos apresentaram seus objetos e compartilharam sentimentos e emoções.

Parte II: as aulas *online*

Em março de 2020 a pandemia de Covid-19 se intensificou no Brasil e o isolamento social obrigou as escolas a fecharem. A princípio se falava em quarentena e se pensava que a situação não se estenderia por muito tempo. Porém, com o passar dos dias, fomos percebendo que esse isolamento não tinha data para terminar. Então, a professora entrou em contato com a turma do oitavo semestre de Pedagogia para realizarmos dois encontros *online* a fim de que os alunos compartilhassem em grupo seus medos e preocupações quanto a conseguirem concluir um curso universitário em plena pandemia.

Em uma das aulas foi realizado o jogo dramático "Conversa com o objeto intermediário". Os 16 alunos presentes escolheram um objeto para representar como se sentiam ao terminar a faculdade de Pedagogia. Em seguida, trocaram de lugar com esse objeto, respondendo à pergunta: *Que mensagem o objeto transmite a você, enquanto aluno de Pedagogia?* Ao final da aula *online*, eles compartilharam impressões sobre os objetos que mais chamaram sua atenção.

Em outra aula, realizamos o jogo dramático "Conversa com o conceito pedagógico". Dessa vez, os alunos elegeram a disciplina que mais chamou sua atenção, trocaram de lugar com ela e responderam à pergunta: *Que mensagem essa disciplina transmite a você, enquanto aluno de Pedagogia?*

Resultados e discussão

Quanto à Parte I – aula presencial –, para a escrita das cartas não houve um sorteio prévio; a entrega foi feita no dia, de maneira aleatória. Alguns ficaram surpresos e emocionados, pois não esperavam receber mensagens de apoio e incentivo dos colegas que vieram da outra turma.

Quanto aos objetos construídos coletivamente, as apresentações dos nove grupos surpreenderam a todos, pois aconteceu algo que foi além do planejado. Durante as apresentações, alguns alunos aproveitaram para pedir desculpas por eventuais desentendimentos anteriores, relembrar bons momentos e agradecer com afetividade por tudo que haviam aprendido com essa turma.

Tal fato reforça o pressuposto de que o objeto intermediário tem uma importante função na metodologia psicodramática: facilitar o processo de entrave de comunicação por sua qualidade de intermediador da passagem do campo tenso para o campo relaxado. Essa foi justamente a intenção da professora ao passar esse trabalho aos alunos, que se encontravam em um campo de tensão devido às cobranças do fim do curso.

Com relação à Parte II, o jogo dramático "Conversa com o objeto intermediário", destacamos algumas falas de alunos (nomes fictícios) e seus respectivos objetos escolhidos para ilustrar nossa análise. Vale lembrar que essa aula foi realizada faltando um mês para o término do curso, quando os alunos experimentavam um alto nível de estresse e sobrecarga devido à grande quantidade de trabalhos teóricos a ser entregues. Por isso, foi muito oportuno o uso do objeto intermediário associado ao jogo dramático, pois, em vez de entregarem um trabalho escrito muito extenso, com dados teóricos sobre a retrospectiva do curso, os alunos puderam construir seus materiais com recicláveis e por meio das artes plásticas em geral. De fato, essa ferramenta os distanciou do campo tenso e da conserva cultural e os aproximou da espontaneidade e da criatividade.

- Catarina: versículo da Bíblia (Josué 1:9): Seja forte e corajoso – "O Senhor me sustentou até aqui. Assim como eu recebi ajuda dos meus colegas de classe, eu posso ajudar outras pessoas".
- Paula: guarda-chuva – "Tenha força e fé para encarar a tempestade. Lembre-se de que a educação transformou a sua vida. Tenha esperança para ver o arco-íris por meio dos seus conhecimentos adquiridos".

- Pedro: colar com pingente do Pequeno Príncipe – "Cada pessoa faz parte do conjunto que compõe o meu colar. Momentos ruins vêm e vão, porém os momentos bons prevalecem. Carinho e gratidão por todos".
- Tatiana: guarda-chuva (da retrospectiva pedagógica) – "Superar as tempestades. Ter terminado o curso junto com a minha mãe na turma, depois de ela ter parado de estudar por muitos anos, me fez ver que tudo vai melhorar. Ser forte e, quando olhar para trás, perceber que tudo já passou".
- Estela: quebra-cabeça (da retrospectiva pedagógica) – "Várias peças e desafios, porém perceber que no final tudo se encaixa com a ajuda dos amigos que conquistamos nesses anos".

De acordo com Baptista (2019), os recursos expressivos com o uso de objetos didáticos facilita a concretização de respostas novas e criativas por meio da utilização de desenho, massa de modelar e material de reciclagem, entre outros. Baptista e Shirahige (2003) consideram que esses instrumentos facilitam a autoexpressão dos indivíduos e, quando interligados a determinados conteúdos, apresentam a compreensão intelectual do aluno, permitindo a verificação de erros e novas formas de trabalhar com eles.

Com relação ao jogo dramático "Conversa com o conceito pedagógico", selecionamos também algumas falas de alunos, os conceitos pedagógicos escolhidos por eles e a respectiva mensagem que o "conceito teórico diz" a cada um.

- Catarina: teorias do conhecimento – "No início do curso, você tinha muitos tabus. Você aprendeu com seus professores e colegas, sobretudo com a Paloma, que te acolheu. Você é guerreira e muito forte. É capaz. Siga em frente".
- Paula: políticas públicas na educação – "Você aprendeu sobre os direitos e deveres dos alunos. O quanto a educação é transformadora na vida. Ter acompanhado as conquistas dos meus colegas é motivo de gratidão e plena satisfação pessoal e coletiva".
- Pedro: história da educação – "No começo do curso você teve um choque de realidade sobre novos conhecimentos. Muitas vezes pensou em desistir, mas teve força para continuar e focar no seu objetivo final".
- Tatiana: fundamentos da interdisciplinaridade – "Na Oficina de Integração entre os alunos do $7^{\underline{o}}$ e $8^{\underline{o}}$ semestres, você aprendeu muito com os depoimentos dos participantes, com histórias de vida inusitadas. E que todos são pessoas batalhadoras. Foi uma grande lição de vida".
- Estela: psicologia do desenvolvimento – "Nas visitas técnicas, você aprendeu muito enquanto mãe e aluna de Pedagogia. Evoluiu como ser humano e percebeu que podemos aprender nos pequenos detalhes no convívio com as pessoas".

Durante os dois encontros *online,* o jogo dramático foi aplicado para que os alunos realizassem uma retrospectiva de seus sentimentos em face das adversidades do término do curso. Assim, constata-se que a pedagogia psicodramática aplicada conseguiu promover a coparticipação propondo mudanças de comportamento geradas pelo potencial criativo dos alunos. Tratou-se de incentivar a subjetividade humana, que é a maneira particular de cada indivíduo expressar seus pensamentos, sentimentos e comportamentos, o que garante o processo de individualidade e respeito à diferença de opiniões.

Segundo Rojas-Bermúdez (1970), essa dimensão participativa, que é peculiar ao psicodrama e envolve o corpo em movimento, fazendo os participantes interagirem entre si, pode incomodar sobremaneira os indivíduos habituados a lidar apenas com as operações que envolvem a dimensão cognitiva e a comunicação essencialmente verbal.

Considerações finais

Um dos propósitos desse trabalho foi constatar a contribuição do psicodrama como metodologia ativa de aprendizagem, tanto no contexto da educação presencial quanto nas aulas *online* durante a pandemia. Nas duas aulas remotas, particularmente, os alunos conseguiram estabelecer conexões entre os objetos intermediários escolhidos e os conhecimentos teóricos adquiridos durante o curso. Assim, foi possível demonstrar que a aprendizagem não se dá somente por apostilas e livros didáticos, que são defendidos como conserva cultural do chamado ensino tradicional.

A proposta da pedagogia psicodramática é reverter as situações-limite e criar espaços coletivos para o encontro tão propalado por Moreno. Por meio dessa proposta, percebe-se que nos momentos presenciais e *online* os alunos estabeleceram trocas afetivas que revelaram alto nível de empatia, comprometimento e sintonia entre eles. Isso comprova que a relação entre afetividade e cognição forma uma aliança necessária que gera a aprendizagem significativa.

Para ser professor com uma postura espontânea é preciso, antes de tudo, ser criativo e conseguir se adaptar às novas situações do cotidiano. A criatividade é inseparável da espontaneidade. Esta última é um fato que favorece a manifestação do potencial criativo do indivíduo. O exemplo da pandemia de Covid-19, em 2020, foi um fator extremo que exigiu uma rápida adaptação tanto do gestor escolar, para buscar novas plataformas de ensino a distância, como dos professores, para aprenderem a ministrar aulas para um número grande de alunos por chamada de vídeo. E também exigiu um bom nível de adaptação dos estudantes, para ter concentração e, sobretudo, interesse em acompanhar a videoaula sem a interação presencial da sala de aula.

Por fim, ao respeitar os princípios da relação professor-aluno, salientamos que a atitude respeitosa de um pesquisador consiste na lógica da troca do dar/receber/devolver. Cabe ao pesquisador ético e comprometido com o fenômeno disponibilizar seu saber e manter uma troca socioafetiva com o grupo. Assim, ao término desse trabalho, compartilhei seus resultados com meus alunos. Em cada uma das etapas dessa pesquisa teórica e prática, aprendi que aprendizagem significativa quer dizer pesquisar, escrever, apagar, revisar para, finalmente, aprender. Valeu a pena!

REFERÊNCIAS

ALTARUGIO, M. H. *O papel social e psicodramático de professores – Uma análise a partir das contribuições do psicodrama pedagógico no contexto da formação docente.* Monografia (Nível II) – Associação Brasileira de Psicodrama e Sociodrama, São Paulo, 2019.

AMARAL, M. S. S.; COSTA-RENDERS, E. C. Moreno e Paulo Freire – EJA. *Revista Brasileira de Psicodrama*, São Paulo, v. 28, n. 2, 2020.

BAPTISTA, T. T. Jogos psicodramáticos no processo de ensino-aprendizagem. *Revista Brasileira de Psicodrama*, São Paulo, v. 27, n. 1, 2019.

BAPTISTA, T. T.; SHIRAHIGE, E. E. "Aprender por meio de recursos psicopedagógicos". In: MASINI, E. F. S.; SHIRAHIGE E. E. (orgs.). *Condições para aprender.* São Paulo: Vetor, 2003, p. 173-77.

BAUMAN, Z. *Comunidade – A busca por segurança no mundo atual.* Tradução Plínio Dentzien. Rio de Janeiro: Zahar, 2003.

CASTANHO, G. P. "Jogos dramáticos com adolescentes". In: MOTTA, J. M. C. (org.). *O jogo no psicodrama.* São Paulo: Ágora, 1995.

CUKIER, R. *Palavras de Jacob Levy Moreno.* São Paulo: Ágora, 2002.

CUNHA URT, S. "Trajetos – Um encontro com algumas dimensões da psicologia sócio-histórica e do psicodrama". In: PUTTINI, E. F.; LIMA, L. M. S. (orgs.). *Ações educativas – Vivências com psicodrama na prática pedagógica.* São Paulo: Ágora, 1998.

DELORS, J. *Educação – Um tesouro a descobrir.* Relatório para a Unesco da Comissão Internacional sobre Educação para o século XXI. São Paulo: Cortez; Brasília: Unesco/MEC, 1998.

DIAS, A. R.; BARROS, L. M. S.; CUNHA URT, S. Psicólogos e psicodramatistas na educação – Projeto em formato *online* desenvolvido na pandemia. *Revista Brasileira de Psicodrama*, São Paulo, v. 29, 2021.

DIAS, C. J. *Compartilhar jogos e vivências – Manual prático de intervenções grupais em educação e saúde.* São Paulo: Expressão e Arte, 2008.

_____. *Jogos pedagógicos e histórias de vida – Promovendo a resiliência*. São Paulo: Loyola, 2013.

_____. *A contribuição do psicodrama na formação do pedagogo*. Monografia (Nível III em Psicodrama) – Associação Brasileira de Psicodrama e Sociodrama, São Paulo, 2020.

DIAS, E.; PINTO, F. C. F. "A educação e a Covid-19". *Ensaio – Avaliação e Políticas Públicas em Educação*, Rio de Janeiro, v. 28, n. 108, 2020.

FAVA, S. R. S. "Os conceitos de espontaneidade e tele na educação". In: PUTTINI, E. F.; LIMA, L. M. S. (orgs.). *Ações educativas – Vivências com psicodrama na prática pedagógica*. São Paulo: Ágora, 1998.

FLEURY, H. J.; MARRA, M. M. (orgs.). *Grupos – Intervenção socioeducativa e método sociopsicodramático*. São Paulo: Ágora, 2008.

FREIRE, P. *Pedagogia da autonomia – Saberes necessários à prática educativa*. 2. ed. São Paulo: Paz e Terra, 1997.

KIM, L. M. V. Metodologias ativas de ensino – Coconstrução subjetiva da capacidade de pensar o próprio pensamento em sala de aula. *Revista Brasileira de Psicodrama*, v. 26, n. 1, 2018.

KRAMM, D. L.; ANGELO, V. B. R.; VELASCO, S. M. A. "Educação em tempos de coronavírus – Algumas dicas para auxiliar professores, estudantes e familiares". In: LIBERALI, F. C.; FUGA, V. P.; DIEGUES, U. C. C.; CARVALHO, M. P. C. (orgs.). *Educação em tempos de pandemia – Brincando com um mundo possível*. Campinas: Pontes, 2020.

MARINO, M. Investigação sociodramática em um ato – Pedagogia social a serviço da juventude. *Revista Brasileira de Psicodrama*, São Paulo, v. 27, n. 1, jan.-jun. 2019, p. 52-64.

MELO, A. L. C. F. A. "Ser professora em tempo de pandemia". In: ALVES, J. M.; CABRAL, I. (orgs.). *Ensinar e aprender em tempo de Covid-19 – Entre o caos e a redenção*. Porto: Faculdade de Educação e Psicologia da Universidade Católica Portuguesa, 2020.

MENEGAZZO, C. M. *et al. Dicionário de psicodrama e sociodrama*. São Paulo: Ágora, 1995.

MONTEIRO, R. F. *Jogos dramáticos*. São Paulo: Ágora, 1994.

MORENO, J. L. *Psicodrama*. 12. ed. São Paulo: Cultrix, 1997.

_____. *Psicoterapia de grupo e psicodrama*. São Paulo: Psy, 1993.

_____. *Quem sobreviverá? Fundamentos da sociometria, psicoterapia de grupo e sociodrama*. Goiânia: Dimensão, 1994.

_____. *Quem sobreviverá? Fundamentos da sociometria, psicoterapia de grupo e sociodrama*. Edição do estudante. São Paulo: Daimon, 2008.

MUÑOZ, C. M. S.; MAFRA, P. Z. "Conectar é preciso". In: LIBERALI, F. C.; FUGA, V. P.; DIEGUES, U. C. C.; CARVALHO, M. P. C. (orgs.). *Educação em tempos de pandemia – Brincando com um mundo possível*. Campinas: Pontes, 2020.

NERY, M. P. "Sociodrama". In: NERY, M. P.; CONCEIÇÃO, M. I. G. (orgs.). *Intervenções grupais – O psicodrama e seus métodos*. São Paulo: Ágora, 2012.

NERY, M. P.; GISLER, J. V. T. Sociodrama – Método ativo na pesquisa, no ensino e na intervenção educacional. *Revista Brasileira de Psicodrama*, São Paulo, v. 27, n. 1, jan.--jun. 2019, p. 11-19.

OLIVEIRA, A. "Tempo de incerteza – Mas, também de esperança". In: LIBERALI, F. C.; FUGA, V. P.; DIEGUES, U. C. C.; CARVALHO, M. P. C. (orgs.). *Educação em tempos de pandemia – Brincando com um mundo possível*. Campinas: Pontes, 2020.

ROJAS-BERMÚDEZ, J. G. *Introdução ao psicodrama*. São Paulo: Mestre Jou, 1970.

ROMAÑA, M. A. *Psicodrama pedagógico – Método educacional psicodramático*. Campinas: Papirus, 1985.

_____. *Construção coletiva do conhecimento através do psicodrama*. Campinas: Papirus, 1992.

_____. *Pedagogia do drama – 8 perguntas & 3 relatos*. São Paulo: Casa do Psicólogo, 2004.

SCHMIDT, M. L. G. A utilização do objeto intermediário no psicodrama organizacional – Modelos e resultados. *Psicologia para América Latina*, São Paulo, v. 8, 2006.

SOUZA, A. C.; CASSANE, I. T. O cuidado com a saúde dos professores por meio do sociodrama e com o uso de objetos intermediários. *Revista Brasileira de Psicodrama*, São Paulo, v. 24, n. 1, 2016.

VYGOTSKY, L. S. *A formação social da mente – O desenvolvimento dos processos psicológicos superiores*. São Paulo: Martins Fontes, 1998.

_____. *Pensamento e linguagem*. São Paulo: Martins Fontes, 2005.

9. JOGOS NAS AULAS *ONLINE* – CONECTANDO OS TEMAS E O GRUPO

Norival Albergaria Cepeda

> *Os jogos dramáticos dão oportunidade, por meio de tarefas principalmente lúdicas, para os participantes se conhecerem e trabalharem seus temas.*
>
> (Nery, 2021)

Quando me joguei, me apaixonei

Primeiramente, apresentarei uma breve história da minha relação com os jogos em aulas presenciais, por meio dos quais me permiti conectar-me comigo mesmo, com o outro e com o grupo, o que resultou em aprendizagem e prazer.

Como ego docente de Yudi Yozo

Em 1995, já diplomado em Psicodrama, ao aceitar o honroso convite do professor Yudi Yozo, expoente em jogos dramáticos, apaixonei-me por essa composição psicodramática ao ser seu assistente na Associação Brasileira de Psicodrama e Sociodrama (ABPS). Fiquei fascinado com o universo de possibilidades educacionais e terapêuticas que os jogos dramáticos proporcionam. Yudi já afirmava, antes mesmo de lançar seu livro *100 jogos para grupos*, em 1996, que a palavra "jogo" se associa ao lúdico, enquanto "dramático" se refere à ação que se desenvolve no palco psicodramático, diferentemente de outros jogos, que se realizam em outros campos de ação, como futebol, vôlei, xadrez etc. Lembro-me de meu sentimento de encantamento ao constatar que, assim como as dramatizações de cenas, os jogos também são aplicados no contexto dramático, no contexto do faz de conta, do como se fosse de verdade, o campo do lúdico do poeta, do jogador e do criador.

Na trupe de teatro espontâneo com D'Alessandro

Nessa mesma época, o saudoso José Manoel D'Alessandro, pioneiro psicodramatista brasileiro, decidiu formar na ABPS um grupo de teatro espontâneo que ganhou o nome de "Companhia de Teatro Espontâneo". Seu objetivo era simples e divertido: "Vamos brincar de fazer teatro?" Nossa trupe inicial era composta por Cida Martin, Madalena Rehder e eu. Posteriormente, o grupo cresceu e foi rebatizado de "Trupe D'Aletribodrama", o qual existiu até 2005. Nossos encontros para estudos e treinamentos aconteciam todas as sextas-feiras, e uma vez ao mês abríamos o convite ao público para realizarmos uma sessão de teatro espontâneo. Uma das afirmações de D'Alessandro (*apud* Cepeda e Martin, 2010, p. 24) que me marcaram refere-se à dramatização, instrumento central do nosso método de ação: "Podemos considerar a dramatização um ato de ficção. Nesse jogo de faz de conta, tudo é possível. Pode-se viver qualquer tipo de emoção, qualquer situação próxima à realidade ou fantasias as mais complexas e absurdas."

Nessa rica vivência de fazer teatro espontâneo, em seu campo de jogo de papéis, pude me aprimorar como pessoa e em meus papéis de ator, plateia, dramaturgo, diretor e ego auxiliar.

Na companhia de teatro espontâneo com Moysés Aguiar

Entre 2009 e 2012, integrei a trupe do saudoso psicodramatista Moysés Aguiar, ícone brasileiro do teatro espontâneo, conhecido na América Latina e na Europa. Em nossos laboratórios experimentais e nas apresentações ao público, Moysés utilizava jogos dramáticos, sobretudo para aquecimento. Porém, experiente como era, ele sempre criava um jogo por conta própria, no presente momento do encontro, baseando-se em algum movimento ou palavra que surgia nas interações iniciais dentro do grupo. Promovia, assim, o aquecimento necessário para a grande ação de criar coletivamente uma peça de teatro espontâneo.

Vale ressaltar que Aguiar (2012) afirma que o teatro espontâneo é uma modalidade especial de teatro e não deve ser confundido com jogos de improvisação, como técnica de treinamento de atores; e com jogos dramáticos, em que não há público, pois todos os participantes estão no palco.

No Quintal da Criação

O ano era 2010. Lembro-me de Moysés Aguiar recomendando-nos o curso com jogos de improvisação que a companhia do espetáculo *Jogando no quintal*, em São Paulo, estava ministrando no espaço nomeado Quintal da Criação. Eu me joguei nessa escola, vivenciando aulas com vários professores, entre eles Marcio Ballas, Allan Benatti e Cesar Gouveia. A improvisação é uma técnica teatral, e a arte do improviso exige muito treinamento, o que fazíamos por meio dos jogos com grande diversão e prazer. Foram aulas fundamentais para o aprofundamento de minha pesquisa e a ampliação do repertório de jogos, bem como o desenvolvimento de meu papel de ator espontâneo. Sou muito grato a Moysés Aguiar por me indicar o portal de entrada para o universo mais amplo do teatro.

No Teatro Escola Macunaíma

A paixão pelo teatro desde criança e o desejo de aprimorar meu papel de ator foram suficientes para que eu decidisse, aos 50 anos, fazer a formação em Teatro na Escola Macunaíma, em São Paulo. O método desse curso profissionalizante baseia-se na pedagogia do dramaturgo russo Constantin Stanislavski (1863-1938), que revolucionou a forma de ensinar teatro, propondo ao ator "criar a partir de seus sentimentos mais profundos, sem artificialidades, através da espontaneidade, com sinceridade e autenticidade das ações" (Almeida, 1991, p. 44). Moreno (1989--1974), criador do psicodrama, apaixonado pelo teatro, era seu contemporâneo. Não conheceu pessoalmente Stanislavski, mas comungava de suas ideias, pois um dos pilares do psicodrama é o teatro.

Nessa formação, pude vivenciar e conhecer jogos teatrais tanto para aquecimento como para treinamento do papel de ator e para a construção de personagens. Muitos dos jogos que experienciei levei para o ensino de psicodrama, nas aulas presenciais.

Entrei no jogo *online*

A partir de março de 2020, com o agravamento da pandemia de Covid-19, as aulas presenciais no ensino em geral foram paralisadas – uma resposta adequada e necessária à contaminação. Criativamente, nós, professores, lançamo-nos ao contexto virtual, atravessando um portal que nos deu acesso à continuidade das aulas em novo formato *online*, utilizando plataformas como o Zoom e o Google Meet.

Online, significado de *em linha*, é "uma conexão digital, em tempo real, entre duas ou mais pessoas, através de um computador, iPad ou *smartphone*" (Dubner, 2021, p. 47). Porém, diante dessa ferramenta tecnológica desconhecida para mim, como utilizar e manejar no *online* os jogos de que eu tanto gostava e que ministrava nas aulas presenciais de psicodrama? Identifiquei a necessidade de ressignificar caminhos e os próprios jogos virtualmente. Algumas perguntas foram norteadoras para a nova missão digital:

- Como manter a concentração em um período de três horas de aula com toda a facilidade de dispersão, em função de termos em casa e no entorno celular, redes sociais, internet, televisão, familiares, crianças e animais?
- É possível aquecer os participantes, liberando sua disposição física, mental, afetiva e relacional na busca da ativação da espontaneidade criadora?
- Uma vez aquecidos, quais são os procedimentos e posturas facilitadores do diretor para que o grupo possa produzir coletivamente de forma eficiente?
- O grupo conseguirá estabelecer vínculos de confiança, tanto para se entregar ao método de ação como para elaborar os conteúdos educativos, com espontaneidade, respeito, ética e liberdade?

- Os conteúdos disciplinares poderão ser trabalhados por meio de jogos dramáticos *online*, aprofundando a aprendizagem, em paralelo à integração do grupo?

Em meu processo de busca, ingressei no novo curso de Yudi Yozo, "Laboratório de jogos para grupos *online*", com duração de três meses e encontros quinzenais com duas horas e meia de duração. O objetivo principal desse curso era aprender jogos de maneira divertida e criativa, possibilitando ao participante inovar e usar os recursos do Zoom Meeting.

Nesse contexto novo e desafiador, comecei a ministrar minhas primeiras aulas *online* nas instituições de ensino psicodramático, como Associação Brasiliense de Psicodrama – ABP (DF), Associação Brasileira de Psicodrama e Sociodrama – ABPS (SP) e GAYA (MS), onde coordenei as disciplinas "Tele, espontaneidade e criatividade", "Fundamentos da práxis psicodramática" e "A conexão entre espontaneidade, criatividade e tele". A ferramenta principal utilizada no processo ensino/aprendizagem foi a dos jogos dramáticos.

Os jogos nas tarefas pedagógicas

O referencial teórico que sigo é o que considera os jogos dramáticos, na metodologia psicodramática, recursos que poderão ser operacionalizados em todas as etapas da sessão de psicodrama: aquecimento, dramatização, comentários e processamento teórico, adequando-se às necessidades pedagógicas e ao contexto sociométrico envolvido. A psicodramatista Regina Monteiro (1994), pioneira na publicação escrita sobre o tema, afirma em seu livro *O lúdico nos grupos terapêuticos, pedagógicos e organizacionais* (2012):

> Na maioria das vezes, os jogos são vistos como a técnica mais utilizada pelos psicodramatistas da área no aquecimento inespecífico: o primeiro momento de um trabalho psicodramático. Sem dúvida, sua eficácia é, aí, amplamente comprovada. Entretanto, o uso dos jogos, a meu ver, não se restringe a essa aplicação. Minha proposta é ampliar essa visão para torná-lo um instrumento cujo emprego transcenda seu uso como meros auxiliares para preparar a ação.

Monteiro (2012) enfatiza ainda outras possibilidades dos jogos, até mesmo no encerramento de uma aula, por exemplo:

> Sua aplicabilidade se faz presente em vários outros momentos (trabalhos grupais e individuais). Alguns deles são:

1. Como treino para o desenvolvimento da espontaneidade e criatividade;
2. No trabalho em situações específicas da dinâmica grupal (agressividade, competição);
3. Como facilitadores para a integração entre os participantes de um grupo e para a criação de vínculos;
4. No início, no primeiro contato de um trabalho, o chamado quebra-gelo;
5. No encerramento e na avaliação da atividade realizada.

Em seu livro (2012), a autora estimula o renascimento da valiosa capacidade lúdica no ser humano, para que este resgate sua espontaneidade e criatividade.

Em homenagem ao saudoso psicodramatista Aldo Silva Junior (1982), irmão da pioneira Herialde Silva, autor do livro *Jogos para terapia, treinamento e educação*, compartilho sua sábia mensagem escrita em meu exemplar: "Norival, no lúdico surge a verdade da vida" (Congresso de Psicodrama, em São Paulo, em 11.11.1992).

Na orelha desse livro, Aldo (1982) pontua que

[...] todo trabalho educacional que objetiva proporcionar ao sujeito da aprendizagem o desenvolvimento da espontaneidade e da criatividade deve ser executado em liberdade. Logo, o campo deve estar otimamente relaxado e o clima, sensivelmente lúdico. Ambos conseguem-se jogando.

Imbuído desse espírito e nessas bases teóricas, ousei aplicar jogos em minhas primeiras aulas virtuais, cujo repertório apresento a seguir.

Prática dos jogos *online*

A título de demonstração, selecionei alguns jogos que podem ser utilizados nas três etapas de uma sessão psico/sociodramática, cada conjunto com suas respectivas finalidades e objetivos.

Etapa do aquecimento inespecífico
Despertando o corpo e o estado de espontaneidade
COPO CHEIO
- Objetivo: conectar a respiração.
- Instruções: em pé, com as mãos sobrepostas na horizontal, na altura do abdome, iniciar a inspiração elevando as mãos até a altura do queixo. Ao efetuar a expiração, descer as mãos até o abdome. Na inspiração, conscientizar-se de que tanto o abdome como o tórax se expandem; na expiração, além de soltar o ar ve-

lho, imaginar expulsar também sufocos, tensões, entraves, angústias e bloqueios internos. Repetir esse procedimento várias vezes. O diretor determina o tempo.

A GRANDE SURPRESA AO ABRIR O CORPO

- Objetivo: favorecer o corpo aberto e a respiração mais ampla.
- Instruções: com os pés paralelos, joelhos semiflexionados, contrair o corpo, em um movimento de abraçar a si mesmo. Ao inspirar, imaginar que diante de você está uma grande surpresa, e assim abrir gradativamente os braços, os dedos, as pernas, o rosto, a boca, o peito, como se diante de você estivesse algo sensacional e encantador. Abrir abraçando o mundo, com o sentimento de uma grande e boa surpresa à sua frente. E depois fechar se abraçando, soltando o ar, para em seguida abrir mais ainda o corpo, diante de outra grande surpresa. Você olhará para essa surpresa com o seu corpo todo, aberto, em um estado de presença ampliado e com sua energia pessoal dilatada.

OS TRÊS VETORES NO CORPO

- Objetivo: favorecer o estado de presença.
- Instruções: em pé, com as pernas distantes a um palmo, imaginar a presença de três vetores em seu corpo:
  a) *Vetor Terra*, que representa a força da gravidade puxando seus pés para o chão.
  b) *Vetor céu*, ligado a uma força que atua da cabeça para o céu. Para facilitar, imagine uma linha que sai do topo da cabeça e a puxa para o alto, em direção ao céu. Nessa postura, sua coluna se alonga.
  c) *Vetor centro*, no baixo abdome, uns quatro dedos abaixo do umbigo. Mantenha-o tonificado, com um leve toque dos dedos nessa área, como os orientais fazem usando uma faixa de pano nessa região.

  Mobilizando esses três pontos mágicos, você organiza sua postura, alinha o corpo, encontra seu relaxamento secreto e dilata sua presença no espaço.

DANÇA DA MARIONETE

- Objetivo: movimentar as articulações, destravando o corpo.
- Instruções: executar movimentos aleatórios em cada parte do corpo, uma por vez, percebendo cada articulação e se divertindo, é claro. O diretor pode colocar uma música, porém não é uma condição obrigatória.

Reconhecendo o espaço físico e o ambiente virtual

PINTORES COM AS MÃOS

- Objetivo: ampliar a percepção do ambiente externo e a apropriação do espaço onde o corpo se localiza.

Pedagogia psicodramática

- Instruções: imaginar que sua mão se transformou em um pincel e você poderá pintar o espaço que ocupa com as cores que quiser. Em seguida, o professor pede para pintar também a tela do ambiente virtual, reconhecendo as pessoas que nela se encontram.

PROCURANDO TU
- Objetivo: focalizar a atenção no ambiente virtual.
- Instruções: o diretor diz o nome de um participante e todos têm de procurar onde ele se encontra, em qual página e janela. Ao localizar, sinalizar com o dedo se está à sua direita ou esquerda, acima ou abaixo. Repete-se com o nome de outro aluno.

Ampliando o contato e a criação da sintonia grupal
ESPELHO DOS DEDOS E MÃOS
- Objetivo: favorecer os contatos interpessoais.
- Instruções: o professor pede a um aluno para fazer movimentos lentos com um dedo, dentro da janela, e os integrantes do grupo os reproduzem, simultaneamente, o mais fielmente possível. Em seguida, escolhe-se outro aluno e repete-se o ciclo, podendo-se mudar a consigna para dois dedos, uma e duas mãos etc.

TRANSMISSÃO DE PENSAMENTO
- Objetivo: favorecer os contatos interpessoais.
- Instruções: um aluno junta as palmas das mãos no centro e lentamente as abre até chegar à lateral de sua janela, escolhe alguém e lhe diz em voz alta: "Eu envio a você..." O escolhido abre as mãos, posicionando-as nas laterais da janela, e as movimenta para o centro, juntando as palmas (em uma atitude de receber). Em seguida, escolhe outro colega para enviar o que pensou.

RÁ
- Objetivo: facilitar a interação, a atenção e a concentração.
- Instruções: um aluno por vez enviará um Rá para o outro, com um gesto e um movimento específico. Para enviar, devem-se juntar as palmas das mãos na altura do peito, dizer o nome a quem passará, verbalizar o Rá e esticar os braços para a frente com as mãos juntas. Quem recebe deve juntar as palmas das mãos na altura do peito e esticar os braços com as mãos juntas, para cima, verbalizando o Rá como resposta. Em seguida, essa pessoa emitirá o Rá a outro participante. Com as mãos juntas, dizer o nome, verbalizar o Rá e esticar os braços para a frente, repetindo o processo. Lembrando que ambas as pessoas verbalizam o Rá, tanto para emitir como para receber.

Etapa da dramatização

Vivência prática em coerência com os conteúdos pedagógicos da aula. Exemplo de tema (como sinônimo de conteúdo curricular): "Treinamento da espontaneidade e criatividade".

Objetivos gerais: nas propostas dadas pelo diretor, desenvolver ação espontânea criadora, estar no presente, consciência e sensibilização corporal, flexibilidade, concentração da atenção, escuta, lidar com desafio, espontaneidade *versus* conservas culturais, criatividade nas falas e atitudes, percepção de si e do outro, expressão corporal, comunicação verbal e corporal, desempenho de papéis, presença, sensibilidade, imaginação etc.

Palavra lembra palavra

Instruções: em exibição de galeria no Zoom, o professor fixa os participantes. Cada um incluirá um número antes do nome, em ordem crescente (renomear). O primeiro participante diz uma palavra qualquer, de livre escolha. O segundo repete a palavra do primeiro e complementa: "palavra me lembra outra palavra". (Exemplo: circo – me lembra alegria.) Repete-se esse processo até chegar ao último. Depois se inverte a ordem, iniciando com o último, dizendo ao antecessor: "Eu disse (palavra) porque você disse (repete a palavra dita)". Segue-se o mesmo procedimento até chegar ao primeiro. Pode-se repetir esse processo duas vezes, ou seja, cada um deverá memorizar duas palavras. É importante que o professor imprima um ritmo dinâmico, fazendo os participantes responderem com prontidão. Ao final, evidenciar como é possível lembrar da palavra anterior por meio da associação.

Caixa mágica

Instruções: em duplas, em salas simultâneas, combina-se que na frente dos participantes haverá uma caixa grande e ela conterá tudo que se possa imaginar: roupas, objetos, animais, pessoas etc. Um aluno estica a mão até o interior da caixa, pega algo e fala em voz alta o que encontrou. Em seguida, rapidamente, pega-se outra coisa e se fala em voz alta, em um ciclo contínuo, sem pausa, com bastante ritmo. O outro aluno observa e pergunta: "O que mais?" Depois de um tempo, invertem-se os papéis dentro da dupla.

E agora?

Instruções: em salas simultâneas, dois alunos distribuem os papéis: um faz a proposta, o outro aceita e eles efetuam a ação juntos. Por exemplo: um primeiro aluno diz: "Vamos nadar?" O segundo responde: "Vamos!" Os dois efetuam a ação corporal de nadar por meio da mímica. Em seguida, o segundo aluno pergunta: "E agora?" O primeiro responde com uma nova proposta, ambos a convertem em expressão corporal, e assim por várias vezes. Após um tempo, invertem-se os papéis.

Estátuas complementares

Instruções: um aluno voluntário começa o jogo dizendo para todos ouvirem: "Eu sou...", expressando-se corporalmente na forma de estátua. Por exemplo: "Eu sou o prato". Outro aluno complementa com outra estátua, afirmando em voz alta, por exemplo: "Eu sou o garçom". E assim, um por um, compõem a estátua até o último participante. O diretor pode tirar um *print* da estátua coletiva e mostrar ao grupo.

Muitos dos jogos citados eu vivenciei como participante do curso "Fale com o corpo", ministrado virtualmente em 2021 pelo ator, mímico, diretor e dramaturgo Luís Louis (2014).

Etapa dos comentários e processamento teórico

Fase destinada a aprofundar, elaborar e compreender; trata-se de um processo de aquisição de conhecimentos relacionados ao tema estudado.

Multiplicando palavras

Instruções: o professor avisa aos alunos para terem à disposição uma folha e uma caneta, pois a tarefa é escrever uma lista de palavras, em 30 segundos, com base em uma palavra anunciada pelo diretor. A primeira palavra pode ser mais genérica, por exemplo: *internet*, e os alunos escreverão o máximo de palavras que estejam relacionadas a ela. Ao final do tempo, pedir para contar o número total de palavras que conseguiram escrever para ser compartilhado com o grupo. Em seguida, solicitar que façam um círculo naquela que considerem mais relevante. Pede-se que exibam a palavra assinalada e observem a dos demais. O diretor escolhe uma segunda palavra que esteja relacionada com o tema em estudo, por exemplo, *espontaneidade*, e repete-se o processo, pedindo para tentarem escrever um número maior de palavras do que na vez anterior e estimulando-os a superar a própria marca a cada palavra apresentada. Depois podem-se formar subgrupos com palavras similares, explorando a percepção e a comunicação referente ao tópico da disciplina. Esse jogo eu aprendi e vivenciei no curso de Yudi Yozo: "Laboratório de jogos para grupos *online*", em 2021.

Tribuna livre

Instruções: nesse jogo, aprimorado por Victor Dias (2010), o professor informa que um aluno de cada vez estará em posição de destaque (ou de "orador" no Zoom) e falará ao grupo, livremente, sobre o tema que está sendo estudado naquela aula. Antes de o jogo começar, o professor deve organizar os nomes dos integrantes do grupo em ordem de ocupação da tribuna, para que essa sequência seja observada no jogo. Pode-se renomear cada aluno com o respectivo número. Uma das regras é: enquanto cada aluno estiver na tribuna, só o professor poderá interromper a fala; o público deverá conter-se e esperar sua vez de estar na tribuna. Ou seja, cada indivíduo poderá falar, sem ser interrompido, enquanto os outros ouvem, mesmo não concordando parcial ou integralmente com o que estão ouvindo, o que garante um processo de comunicação democrático. Victor Dias (2012) afirma: "A tribuna tira a maioria silenciosa do silêncio e silencia a minoria gritante". Cada um que estiver na "tribuna" terá um tempo de no máximo cinco minutos para falar, sem apartes, aquilo que tiver vontade. O professor deve controlar o tempo, assinalando o momento em que o primeiro aluno deve parar para que comece o segundo, e assim por diante, até o último. Quando o último terminar sua fala, volta-se ao primeiro indivíduo, reiniciando a rodada. Dependendo do número de participantes, pode-se percorrer duas ou três passagens de cada participante pela tribuna. As falas vão se sobrepondo, trazendo no discurso referências à fala do outro, pois os conteúdos depositados mobilizam pensamentos, reflexões, lembranças, emoções, percepções, associações etc. no restante do grupo, ajudando-o a elaborar e digerir as vivências de aprendizagem e a aprofundar os conceitos estudados. Ao final do jogo, retoma-se o contexto grupal e devem ser feitos os comentários finais.

Esse jogo favorece a comunicação, o levantar de dúvidas e constatações conceituais, a elaboração, além de facilitar a circularização e a integração do grupo.

Reflexões e conexões teóricas

A psicodramatista e pedagoga Maria Alicia Romaña (2009) afirma que "jogos dramáticos são trabalhos psicodramáticos que buscam exercitar a espontaneidade, tele e criatividade através de atividades lúdicas. Propõem-se ao grupo todo, porém a participação é voluntária. Em alguns casos se utiliza música".

Nesse sentido, a autora compreende a educação como um compromisso ao mesmo tempo ético e lúdico. E acrescenta que é possível educar a espontaneidade. Espontaneidade, como define Moreno (1975), é a capacidade do indivíduo para enfrentar adequadamente cada nova situação, ou até mesmo uma situação conhecida. É a disposição da pessoa para responder tal como é requerida, uma preparação do sujeito para a ação livre. É também a energia vital que é produzida e disponibilizada pelo nosso organismo quando dela necessitamos. A espontaneidade, uma vez mobilizada, elicia também a criatividade.

Todos os seres humanos nascem dotados do potencial espontâneo criador, porém essa potência precisa ser ativada conscientemente. Um procedimento que ativa a espontaneidade está relacionado ao processo de aquecimento. Este representa a expressão operacional da espontaneidade, gerando no indivíduo um novo estado de ânimo motivador, chamado de estado de espontaneidade.

Moreno (1975) explica que este

> [...] é o estado de produção, o princípio essencial de toda experiência criadora. Não é algo dado, como as palavras e as cores. Não está conservado nem registrado. O artista improvisador deve ser "aquecido", deve fazê-lo galgando a colina. Uma vez que tenha percorrido o caminho ascendente até o "estado", este desenvolve-se com toda a sua potência e energia.

Além disso, continua Moreno (1975), o estado de espontaneidade não surge automaticamente nem é preexistente; é produzido por um ato de vontade, necessitando de uma afirmação e de uma atitude libertária, em que se libera a energia da espontaneidade. O estado motiva não só um processo interno, mas também uma relação externa, interpessoal, correlacionando-se com o estado de outra pessoa criadora. Por isso costumamos dizer que espontaneidade gera espontaneidade. É um processo individual que reflete na relação interpessoal.

Um dos objetivos da etapa de aquecimento, no período inicial da aula, é favorecer o alcance do melhor estado de espontaneidade em cada aluno para, em seguida, passar a criar coletivamente. Para Rojas-Bermúdez (2016), a etapa de aquecimento inespecífico visa:

- diminuir o estado de tensão e ansiedade e alcançar o relaxamento;
- centralizar a atenção e obter concentração;
- propiciar as interações interpessoais.

De acordo com Moysés Aguiar (1998), nessa referida etapa o diretor deve aquecer o grupo considerando três focos: corpo, espaço e grupo (alcançando a sintonia grupal). Esse autor também afirma que na etapa de aquecimento operacionaliza-se o processo de transição da individuação para a grupalização. Para se aquecer, é preciso efetuar a conexão consigo mesmo, com seu corpo, sua força vital e sua espontaneidade, a fim de continuar a conexão com o ambiente, o outro e o grupo, no modo aberto à participação espontânea e criativa, na rede de relações interpessoais.

Nesse sentido, a meu ver, o professor também necessita realizar seu processo de aquecimento antes mesmo de começar a aula *online*, dando atenção ao próprio corpo por meio de exercícios de respiração e alongamento – por exemplo, para despertar o corpo, conectar-se com sua respiração e dilatar seu estado de presença viva e disponível para o vínculo professor-aluno no momento presente da aula *online*. Em um estado interno de aquecimento descontraído e atento, sua espontaneidade liberada motivará, na interação relacional, a espontaneidade dos alunos.

No psicodrama, e em especial na pedagogia psicodramática, à medida que vão participando das atividades pautadas nos temas curriculares os alunos também educam sua espontaneidade. Maria Alicia Romaña (2009), reafirmando Moreno, enfatiza que a espontaneidade é produzida por cada pessoa e necessita ser usada. Se for guardada, ela se deteriorará e não servirá para uma nova oportunidade. E acrescenta: "Com isto, estamos dizendo que o treinamento para produzir a quantidade mais próxima possível do que precisaríamos deveria ser parte de nossa educação".

Moreno (1975) ressalta que o exercício da espontaneidade é uma importante disciplina que deveria ser promovida por todos os educadores e terapeutas. Sua tarefa é tanto despertar como aumentar a espontaneidade em seus alunos e clientes, dentro dos grupos.

O grupo e a experiência da cocriação

No processo de liberação e treinamento da espontaneidade, na composição de articulações criativas nas interações pessoais, os alunos poderão experimentar uma forma especial de relação de muita sintonia, proximidade e compreensão mútua: a relação télica. Enquanto a espontaneidade é um fenômeno individual, a tele tem caráter interpessoal e acontece no vínculo. Entretanto, a tele se origina na espontaneidade de cada pessoa dentro de um grupo e da interação entre todos os seus integrantes.

Moysés Aguiar (1990) considera a relação télica um encontro de espontaneidades entre os indivíduos que atuam em complementaridade criativa. E afirma: "Com efeito, quando se tenta descrever o evento télico, o que se tem, no nível meramente fenomênico, é a articulação criativa entre os parceiros de um mesmo ato. Isso é o que define tele. Nesse sentido, tele deve ser entendida como cocriação".

Retomando a educação, nas aulas com jogos *online* pude presenciar a espontaneidade dos alunos sendo produzida e, em consequência, a promoção do encontro, em ação combinada e criativa na solução das tarefas lúdicas e pedagógicas, inseridas em uma rede de relações cocriativas. Assim, como bem embasa a pedagogia psicodramática, a aquisição de conhecimento está em íntima ligação com a experiência da cocriação grupal que se converte em experiência de vida para todos os alunos.

No término de cada aula, é denominador comum a constatação de que a aprendizagem se efetuou e o grupo se transformou, pois cada integrante se sente mais à vontade com os colegas de turma e mais próximo deles; há uma ampliação da conexão relacional entre os alunos, que ficam permeados pela sensação de aumento de autonomia, consciência e liberdade. Amplia-se assim a força individual e grupal. E acrescento: com aumento da capacidade de vida, o que gera alegria!

Nessas valiosas experiências cocriativas, como ferramentas para promover a integração não somente dos conteúdos educativos, mas também entre os alunos, os jogos dramáticos nas aulas *online* vêm se mostrando eficazes e revitalizadores para todos, alunos e professores.

Assim, a pedagogia psicodramática expressa sua potência transformadora também na era virtual contemporânea. Está registrado no coração, na mente e em nosso livro *Masp 1970 – O psicodrama* (2010) quando nos referimos ao legado intelectual e humano de Maria Alicia Romaña: sempre nos incentivando e valorizando a aplicação das composições psicodramáticas de teatro espontâneo e jogos dramáticos, para não deixarmos de incluir o lúdico e a alegria nos trabalhos educacionais com e nos grupos. Inclusão aceita e amorosamente conectada!

Referências

Aguiar, M. *O teatro terapêutico – Escritos psicodramáticos*. Campinas: Papirus, 1990.

_____. *Teatro espontâneo e psicodrama*. São Paulo: Ágora, 1998.

_____. "Introdução ao teatro espontâneo". In: Nery, M. P; Conceição, M. I. G. (orgs.). *Intervenções grupais – O psicodrama e seus métodos*. São Paulo: Ágora, 2012.

Almeida, W. *Moreno – Encontro existencial com as psicoterapias*. São Paulo: Ágora, 1991.

Cepeda, N. A.; Martin, M. A. F. *Masp 1970 – O psicodrama*. São Paulo: Ágora, 2010.

Dias, V. C. S. *Psicopatologia e psicodinâmica na análise psicodramática*. v. 3. São Paulo: Ágora, 2010.

_____. *Psicopatologia e psicodinâmica na análise psicodramática*. v. 4. São Paulo: Ágora, 2012.

Dubner, A. "Psicodrama virtual". In: Echenique, M. (org.). *Psicodrama virtual – Explorando a toca do coelho*. Porto Alegre: Araucária, 2021.

Echenique, M. (org.). *Psicodrama virtual – Explorando a toca do coelho*. Porto Alegre: Araucária, 2021.

Louis, L. *A mímica total*. São Paulo: Giostri, 2014.

Monteiro, R. F. *Jogos dramáticos*. São Paulo: Ágora, 1994.

_____. *O lúdico nos grupos terapêuticos, pedagógicos e organizacionais*. São Paulo: Ágora, 2012.

Moreno, J. L. *Psicodrama*. São Paulo: Cultrix, 1975.

NERY, M. P. Psicodrama e métodos de ação *online* – Teorias e práticas. *Revista Brasileira de Psicodrama*, v. 29, n. 2, 2021, p. 107-16. Disponível em: <https://revbraspsicodrama.org.br/rbp/article/view/442/460>. Acesso em: 2 maio 2022.

ROJAS-BERMÚDEZ, J. G. *Introdução ao psicodrama*. São Paulo: Ágora, 2016.

ROMAÑA, M. A. *Pedagogía psicodramática y educación consciente – Mapa de un accionar educativo.* Buenos Aires: Lugar, 2009.

SILVA JUNIOR, A. *Jogos para terapia, treinamento e educação*. Curitiba: Imprensa Universitária da UCP, 1982.

STANISLAVSKI, C. *A preparação do ator*. Rio de Janeiro: Civilização Brasileira, 1995.

YOZO, R. Y. *100 jogos para grupos*. São Paulo: Ágora, 1996.

10. "Conceitos em ação" – o uso do jogo dramático na formação de psicodramatistas*

Gisele da Silva Baraldi

Este capítulo apresenta o relato de uma aula cujo objetivo foi desenvolver o raciocínio clínico de alunos do curso de formação em Psicodrama. A pedagogia psicodramática foi a metodologia de ensino que norteou todo o trabalho, e a composição psicodramática utilizada foi o jogo dramático. Vale ressaltar que este conteúdo se refere a uma parte da monografia apresentada pela autora para titulação de psicodramatista didata supervisora (Baraldi, 2013), bem como a uma adaptação do conteúdo publicado em artigo científico (Baraldi e Martin, 2014).

Contextualizando

Com base na experiência vivida como integrante do corpo docente de uma instituição formadora em Psicodrama, nasceu a disciplina Leitura Psicodramática.

A disciplina surgiu de uma demanda apresentada tanto pelos alunos como pelos professores do curso de formação em Psicodrama. Ao final de cada disciplina cursada, solicitava-se aos alunos que respondessem a um questionário de avaliação da disciplina, a qual podiam criticar positiva e negativamente, além de dar sugestões para que o curso pudesse atendê-los melhor em suas expectativas e necessidades. O mesmo era feito com os professores em reuniões trimestrais, momento dedicado a discutir o desenvolvimento do papel de psicodramatista dos alunos em formação, bem como assuntos relacionados ao ensino do psicodrama.

Ao longo de aproximadamente dois anos, constatou-se que os alunos conseguiam compreender os conceitos abordados em sala de aula, mas mostravam dificuldade de estabelecer uma relação entre eles na aplicação do psicodrama. Esse fato foi observado por meio do relato dos alunos, de suas avaliações e das avaliações das disciplinas realizadas pelos professores. A partir desse momento, iniciou-

---

* Trabalho apresentado no 19º Congresso Brasileiro de Psicodrama, em 2014, ganhador do primeiro lugar do prêmio Febrap "Melhores Escritos Psicodramáticos" na categoria Nível 3 – Psicodramatista Didata Supervisor. Artigo inédito.

-se uma reflexão mais profunda sobre as maneiras como os alunos se relacionam com o objeto de conhecimento e sobre como poderíamos contribuir efetivamente no processo de aprendizagem, com o objetivo de proporcionar um repertório teórico e prático que fosse efetivo na aplicação viva do psicodrama.

Moreno (2014) propõe, com base em sua experiência com grupos, a aprendizagem por meio das ações, fundamentando-se na experiência prática e nas relações interpessoais. Nesse contexto da prática pedagógica interativa, utiliza-se o psicodrama pedagógico, que tem como pressuposto o resgate da espontaneidade por meio da ação dramática.

Romaña (2004) amplia ainda mais a visão do psicodrama pedagógico e traz como uma de suas grandes contribuições a pedagogia do drama, que considera os pressupostos teóricos e práticos deste último, valorizando o vínculo do saber adquirido na aprendizagem formal com as experiências culturais e afetivas que o ser humano carrega em sua história. A autora amplia as possibilidades de intervenção grupal, disponibilizando as composições psicodramáticas além do *role-playing* e das técnicas básicas do psicodrama. Além disso, é influenciada pelas ideias de Vigotski e de Paulo Freire.

A pedagogia do drama pressupõe que o desenvolvimento das faculdades psicológicas superiores do indivíduo surge inicialmente no contato social para tornar-se, mais tarde, uma expressão individual. Assim, os comportamentos que se constituem por meio desse amadurecimento no âmbito social, e são assumidos como expressão individual, vão fazendo parte novamente do coletivo de modo comprometido consigo mesmo, com o próximo e com a sociedade. Como elementos facilitadores desse processo, a pedagogia do drama utiliza os recursos sociopsicodramáticos, que passam a compor sua metodologia (Romaña, 2004).

Entre esses recursos encontram-se os jogos dramáticos, trabalhos psicodramáticos que buscam exercitar a espontaneidade, a tele e a criatividade por meio de atividades lúdicas (Romaña, 2009).

Romaña (2009) veio mais tarde a considerar a denominação "pedagogia psicodramática" a mais representativa para expressar o que anteriormente chamara de pedagogia do drama, devido à amplitude de possibilidades de trabalho que o método proporciona e ao uso dos instrumentos advindos do psicodrama.

Com base em todas as reflexões, concluiu-se que havia a necessidade de criar uma disciplina que auxiliasse o aluno a construir uma linha de raciocínio psicodramático, utilizando todo o referencial teórico e prático já apresentado nas disciplinas anteriores, porém de maneira integrada.

Criada a disciplina, surgiu outro desafio, o de desenvolver uma estratégia que garantisse a concretização de seus objetivos. Para tanto, desenvolveu-se um jogo dramático chamado "Conceitos em ação", que posteriormente foi utilizado como instrumento pedagógico aplicado em um grupo de formação em Psicodrama, na disciplina "Leitura Psicodramática".

Este capítulo tem por objetivo fundamentar teoricamente os efeitos de um jogo dramático aplicado durante uma aula com duração de duas horas da disciplina de Leitura Psicodramática em grupo de formação em Psicodrama. A aula desenvolveu-se de acordo com as três etapas clássicas (aquecimento, dramatização e compartilhar) e os cinco instrumentos (diretor, protagonista, ego auxiliar, palco e plateia) que norteiam qualquer intervenção sociodramática.

Na etapa do aquecimento inespecífico, solicitou-se ao grupo que escrevesse livremente em uma folha de papel *craft* os nomes dos conceitos psicodramáticos aprendidos até o momento. Em seguida pediu-se aos participantes que se dividissem em três subgrupos.

No aquecimento específico foi oferecido um conjunto de filipetas com os nomes dos conceitos psicodramáticos e solicitado ao grupo que criasse uma cena que envolvesse todos os conceitos descritos, utilizando o máximo de instrumentos psicodramáticos possível. A dramatização seguiu com a representação das cenas compostas pelo conjunto de conceitos teóricos oferecidos aos subgrupos. Em seguida, desenvolveu-se o processamento teórico, com a leitura psicodramática das cenas representadas e o compartilhar, incluindo a explicitação dos sentimentos evocados durante todo o jogo dramático, inclusive aqueles vivenciados durante a etapa do processamento teórico.

Posteriormente apresentaremos uma breve fundamentação teórica dos principais pressupostos que embasaram o trabalho.

Do psicodrama pedagógico à pedagogia psicodramática

Segundo Ruiz-Moreno *et al.* (2005),

> a experiência situa, também, uma importante contribuição: o docente pode ter múltiplas possibilidades de organizar ambientes de aprendizagem que sejam mediadores dos processos de apropriação, discussão, análise e produção do conhecimento. As práticas pedagógicas são enriquecidas e se tornam mais produtivas quando demandas, desejos, dúvidas e questões que emergem do grupo de alunos encontram acolhimento e intencionalidade de serem tomadas como pontos de partida para o delicado e complexo ato de aprender.

De acordo com Romaña (1992), a aspiração dos educadores é criar redes mais significativas de compreensão. Dessa forma, eles devem transmitir o conhecimento no ponto de consenso científico em que se encontra, bem como favorecer e provocar possíveis rupturas na ordem ou conservação desse conhecimento para estimular novas respostas aos desafios e contradições da realidade.

Romaña (1996) traz como uma de suas grandes contribuições o psicodrama pedagógico, que surgiu em 1970 e foi inspirado na didática sociopsicodramática criada por Jacob Levy Moreno.

A pedagogia do drama considera os pressupostos teóricos e práticos do psicodrama pedagógico, valorizando o vínculo do saber adquirido na aprendizagem formal com as experiências culturais e afetivas que o ser humano carrega em sua história, mas, além disso, amplia as possibilidades de intervenção grupal, disponibilizando o jornal vivo, o sociodrama, o teatro espontâneo, os jogos psicodramáticos e o método educacional psicodramático como composições psicodramáticas – além do *role-playing* e das técnicas básicas do psicodrama. Essa pedagogia tem a influência das ideias de Vigotski e de Paulo Freire (Romaña, 2004).

Psicodrama

Moreno (1972) construiu a teoria socionômica com as disciplinas da sociodinâmica, sociometria e sociatria, sendo esta última composta pelas seguintes matérias: psicoterapia de grupo, sociodrama e psicodrama. Apesar dessa divisão clássica, na prática o trabalho psicodramático é referido de modo genérico, como foi consagrado pelo uso: psicodrama.

O psicodrama pode ser definido como "a ciência que explora a verdade por métodos dramáticos" (Moreno, 2008). Tem em sua origem a influência do teatro, da psicologia e da sociologia e traz como premissa básica o homem em relação, colocando o indivíduo em seu meio, não o tratando como ser isolado. Para ser, nascer, crescer, viver, reproduzir-se, o ser humano precisa estar em relação com os outros (Rojas-Bermúdez, 1980).

Segundo Moreno, nascer é uma resposta à vida. Com o passar dos meses, o feto atinge um grau de desenvolvimento e maturação que não lhe permite mais viver nas condições ambientais existentes na cavidade uterina; permanecer nessas condições seria traumático e fatal para ele. Diante disso, o feto une seus esforços aos esforços maternos na busca de um novo espaço (Moreno, 2008; Rojas-Bermúdez, 1980).

Dessa forma, Moreno concebe o nascimento como uma libertação, o grande trunfo da vida sobre o inanimato e sobre a morte. O bebê é considerado um gênio em potencial.

Ao nascer, o bebê se implanta no grupo social, estabelecendo inicialmente uma relação de dependência quanto às necessidades fisiológicas, psicológicas e sociais. Esse grupo social, habitualmente representado pela família, sofre um conjunto de modificações nas relações interpessoais com a chegada do novo integrante, facilitando sua inclusão (Rojas-Bermúdez, 1980).

O homem moreniano é um ser social desde que nasce. Devido a sua condição biológica, necessita de outro que possa atender suas necessidades básicas e da ajuda externa para se adaptar a seu novo mundo. O bebê, ao nascer, vive uma completa dependência com relação a um adulto que possa fazer por ele aquilo que ele ainda não tem condições de fazer (Moreno, 2008).

Conforme o referido autor (2008, p. 114), "a matriz de identidade é a placenta social da criança, o lócus em que ela mergulha suas raízes. Proporciona ao bebê humano segurança, orientação e guia". Moreno afirma que os pais são geralmente os primeiros cuidadores de uma criança, e funcionam como uma espécie de ponte relacional entre ela e o mundo. Essa primeira experiência relacional refletirá na construção da identidade da criança e em suas expectativas de relacionamento com o mundo.

Teoria da espontaneidade, criatividade e conserva cultural

O "eu" se forma por meio dos papéis, e a formação da personalidade do indivíduo deriva de fatores que estão presentes desde a primeira fase da matriz de identidade: o genético, a espontaneidade, a tele e o ambiente (Gonçalves *et al.*, 1988).

Para Moreno (2008), a espontaneidade não é algo estritamente hereditário nem estritamente ambiental, e sim um fator independente que recebe influência de ambos os universos, mas não é determinado por eles.

A primeira manifestação básica da espontaneidade é o aquecimento preparatório do bebê para o novo ambiente. Ao nascer, ele se encontra diante de uma nova situação, composta por estímulos desconhecidos, que exigem uma resposta rápida, positiva e sem falhas para que a sobrevivência aconteça. Essa resposta rápida, positiva e sem falhas diante de uma situação inesperada, que pode ser mais ou menos adequada, Moreno (2008) denominou espontaneidade.

O período de gestação é para o bebê um processo de aquecimento para vir ao mundo, que perdura por nove meses. O momento do parto estimulará os autoarranques da criança, que, com o auxílio dos egos auxiliares (mães, parteiras, médicos etc.), conseguirá vincular sua espontaneidade ao novo meio, adaptando-se à nova realidade que se lhe apresenta (Moreno, 2008).

O autor afirma que o processo de aquecimento preparatório é de suma importância para o ato espontâneo, uma indicação concreta, tangível e mensurável de que o fator espontaneidade está operando. Se não existir a presença de aquecimento, haverá uma perda ou até mesmo a ausência de espontaneidade.

Embora as crianças sejam seres capazes de promover o autoarranque, os graus de disposição espontânea para reagir a ele diferem de uma para outra. Algumas apresentam dificuldades ao nascer e necessitam de ajuda externa para empurrar-se ao longo do canal de parto; outras precisam de assistência instrumental ou de intervenção cirúrgica O mesmo pode ser conferido em outros comportamentos nos primeiros dias de vida, sendo necessário auxílio para iniciar o movimento de sucção, por exemplo (Moreno, 2008).

Durante todo o desenvolvimento infantil o fator espontaneidade atuará sobre seus comportamentos, sobre suas respostas diante das situações enfrentadas no dia a dia. Dependendo da maneira como o ambiente reagir a essas respostas, a criança pode desenvolver cada vez mais esse fator, dando respostas diferentes e adequadas às situações, como também pode perdê-la gradativamente, dando lugar a respostas conservadas, estereotipadas, com ausência ou pouca dose de originalidade e adequação. Dessa criança surgirá o adulto, que responderá ao meio de acordo com seu grau de espontaneidade.

Para Moreno, existem quatro expressões da espontaneidade: qualidade dramática, criatividade, originalidade e adequação. Existe também um produto gerado do ato criador denominado conserva cultural. Trata-se do produto acabado do processo criador. São objetos materiais (incluindo-se obras de arte), comportamentos, costumes que se mantêm idênticos em determinada cultura, proporcionando continuidade à herança da existência humana (Moreno, 2008).

A conserva tranquiliza, prende-se ao perfeito, ao que já foi criado, enquanto a espontaneidade-criatividade é devota da experimentação religiosa, científica e terapêutica, encontrando-se mais voltada para o amor, a atuação e a criação do que para a sistematização de ideias (Bustos, 1979). Segundo Moreno (2008), o processo criador é a fase inicial de qualquer conserva cultural.

Algumas considerações sobre a obra de Vigotski

Para Vygotsky (1989), a criança nasce inserida em um meio social – a família –, e nele estabelece as primeiras relações com a linguagem na interação com os outros. Nas interações cotidianas, a mediação (necessária intervenção de outro entre duas coisas para que uma relação se estabeleça) com o adulto acontece espontaneamente no processo de utilização da linguagem, no contexto das situações imediatas.

Essa teoria se apoia na concepção de um sujeito interativo que elabora seus conhecimentos sobre os objetos, em um processo mediado pelo outro. O conhecimento tem gênese nas relações sociais, sendo produzido na intersubjetividade e marcado por condições culturais, sociais e históricas (Vygotsky, 1989).

A relação entre homem e mundo é uma relação mediada; entre o homem e o mundo existem elementos que auxiliam a atividade humana. Esses elementos de mediação são os signos e os instrumentos.

Alguns conceitos apresentados em capítulos anteriores serão brevemente comentados a fim de que o leitor se aqueça para as discussões da prática descrita neste capítulo.

De acordo com Romaña (2004, p. 25), "instrumento é toda ferramenta que amplia ou permite uma extensão de nossas capacidades para atingir resultados maximizados". O livro, o computador, a bicicleta, o avião, a lâmpada, o robô e muitos outros objetos e máquinas podem ser considerados instrumentos que nos situam em espaços bem mais amplos e complexos do que nosso organismo.

De acordo com Vygotsky (1989), os instrumentos são condutores da influência humana sobre o objeto da verdade, orientados externamente e devem necessariamente levar a mudanças nos objetos.

Já os signos "constituem um meio de atividade interna dirigido para o controle do próprio indivíduo; o signo é orientado internamente e não modifica em nada o objeto da operação psicológica" (Vygotsky, 1989, p. 62).

Para Romaña (2004), os signos auxiliam/facilitam as funções psicológicas superiores (atenção voluntária, memória lógica, formação de conceitos etc.), ou seja, são marcas que elaboramos para ajudar nossa mente a armazenar as informações adquiridas ao longo da vida e utilizá-las de maneira organizada e contextualizada. Assim, as formas de mediação permitem ao sujeito realizar operações cada vez mais complexas sobre os objetos.

No cérebro, as funções psicológicas superiores são construídas por meio da aprendizagem, realizada pela mediação de outros (adultos ou crianças) com o sujeito. Na condição de sujeito de conhecimento, o ser humano não tem acesso direto aos objetos; tal acesso é mediado por outras pessoas, representações, objetos e sistemas simbólicos, sendo a linguagem um sistema simbólico da maior complexidade, pois simplifica, generaliza e ordena em categorias. Porém, quando um processo interpessoal (externo) se transforma em intrapessoal (interior), uma atividade externa é reconstruída internamente, ocorrendo a internalização (Vygotsky, 1989).

O processo de internalização consiste em uma série de transformações, incluindo:

a) A operação que inicialmente representa uma atividade externa é reconstruída e começa a ocorrer internamente.

b) Um processo interpessoal é transformado em processo intrapessoal – todas as funções no desenvolvimento infantil aparecem em um primeiro momento no nível social (interpsicológico) e em um segundo momento no nível individual (intrapsicológico).

c) A transformação de um processo interpessoal em intrapessoal é o resultado de uma longa série de fatos ocorridos ao longo do desenvolvimento.

Dessa maneira, de acordo com o autor, a formação de conceitos, assim como as outras funções psicológicas superiores, são vistas como sociais, formadas pela palavra e pelo outro.

Outro conceito importante pertencente à teoria de Vigotski é o de "zona de desenvolvimento proximal". Para ele, a aprendizagem exerce papel fundamental no desenvolvimento do conhecimento. Todo e qualquer processo de aprendizagem envolve aquele que aprende, aquele que ensina e a relação entre ambos. O autor explica essa conexão entre desenvolvimento e aprendizagem por meio da zona de desenvolvimento proximal, que se refere à distância entre os níveis de desenvolvimento potencial e real.

O nível de desenvolvimento real está relacionado às capacidades que a criança adquiriu, de maneira que em seu desempenho não há necessidade da ajuda de outras pessoas. Já o nível de desenvolvimento potencial está relacionado à necessidade da criança de receber a ajuda de outra pessoa mais capaz no momento para que consiga desempenhar aquilo que ainda não consegue sozinha (Romaña, 2004).

Dessa forma a zona de desenvolvimento proximal é um "território psicológico dinâmico" que está em constante transformação, uma vez que o nível potencial, quando superado, passa a integrar o nível real, abrindo espaço para o desenvolvimento de outras potencialidades – e assim por diante (Romaña, 2004).

Algumas considerações sobre a obra de Paulo Freire

O aspecto central da teoria de Paulo Freire é a possibilidade de a educação proporcionar a evolução da consciência no sujeito-aprendiz. Para esse autor, a evolução da consciência é a prova de que está havendo aprendizado (Freire, 2011).

Conscientização e educação são realidades intimamente conexas que estão a serviço do ser humano. Segundo Freire (2001), o homem necessita de uma ação educativa e transformadora para que consiga passar da consciência ingênua para a consciência crítica, tornando-se, assim, um ser livre.

A essência da consciência é a intencionalidade, a capacidade de estar no mundo, admirá-lo e ao mesmo tempo desprender-se dele, desmistificando, problematizando e criticando a realidade admirada e gerando a percepção daquilo que é inédito e viável.

Freire considera que o diálogo é o elemento-chave no processo de conscientização, pois é por meio dele que as pessoas vão emitindo e recebendo informações acerca da realidade. Dessa forma, o diálogo torna-se a ferramenta didática de maior importância na pedagogia proposta por ele.

Esse autor acredita que o ensinar precisa observar um rigor metódico, devendo o educador reforçar a capacidade crítica do educando, sua curiosidade, sua insubmissão. Destaca também a importância da construção do saber do educando, devendo-se considerar seu contexto social, respeitar seus interesses e sua realidade. Propõe um diálogo aberto com o aluno, que evidencia a "razão do ser" do conhecimento, contribuindo, assim, com o desenvolvimento de seu senso comum (Freire, 2011)

Deve-se propor às pessoas dimensões significativas de sua realidade, desenvolver o senso crítico para que possam refletir, analisar, reconhecer e integrar o que faz parte delas e assim construir um novo olhar a seu respeito (Freire, 2011)

De acordo com esse autor, ensinar não é transferir o conhecimento, e sim criar possibilidades para a produção ou a construção do saber pelo aluno. O educador deve ir além de definir conteúdos programáticos para desenvolver em suas aulas: necessita buscar didáticas que instiguem a curiosidade dos alunos. Esta é fundamental para evocar a imaginação, a intuição e a capacidade para transformar (Freire, 2011).

O jogo dramático

Inicialmente utilizado como recurso terapêutico, o jogo dramático atualmente é apresentado na literatura como estratégia importante nas práticas pedagógicas que consideram o lúdico fundamental no processo de ensino e aprendizagem (Capellini e Bellido, 2008).

De acordo com Romaña (2009), os jogos dramáticos são trabalhos psicodramáticos que buscam exercitar a espontaneidade, a tele e a criatividade por meio de atividades lúdicas.

A imaginação dramática está no centro da criatividade humana. Desse modo, deve estar também no centro de qualquer forma de educação que vise ao desenvolvimento das características essenciais humanas, entre elas a inteligência. Mesmo considerando que a imitação e o jogo estão relacionados ao processo de pensamento e ao desenvolvimento da cognição, é a imaginação dramática que interioriza os objetos e confere significados a eles (Courtney, 2003).

Romaña (1985, p. 27) afirma que "as dramatizações podem: fixar e exemplificar o conhecimento; encontrar as soluções alternativas aos problemas disciplinares; desenvolver papéis novos; sensibilizar grupos; elaborar mudanças e avaliar o trabalho em equipe".

A autora (1985) organiza os jogos dramáticos em três passos:

1. dramatização, que é ligada à experiência da criança;
2. aproximação racional ou conceitual do conhecimento;
3. entrada no nível da fantasia, no qual o conhecimento é mais espontâneo.

Segundo Yozo (1996) o, jogo dramático é uma atividade voluntária, que tem regras específicas e absolutas, tempo e espaço delimitados, presença do lúdico e objetivos específicos. Para crianças ou adultos, deve prever etapas definidas, jogadores, estratégias. Deve estimular, emocionar, provocar o riso, suscitar a atenção e a observação (Datner, 2006).

O jogo dramático é uma atividade que possibilita avaliar e desenvolver o grau de espontaneidade e criatividade do indivíduo por meio de suas características, estados de ânimo e/ou emoções na obtenção de resolução de conflitos ligados aos objetivos propostos. Ele cria um campo relaxado que proporciona aos indivíduos uma diminuição das resistências para o desenvolvimento do trabalho em si, liberta-os de suas conservas culturais, promove a liberdade de expressão e os leva ao resgate de sua espontaneidade e criatividade, aumentando a probabilidade de que solucionem conflitos e atinjam seus objetivos (Yozo, 1996).

O jogo "Conceitos em ação"

O jogo dramático "Conceitos em ação" tem por objetivo avaliar, aprimorar e contribuir para o desenvolvimento da leitura psicodramática de situações diversas, levando ao aprendizado dos conceitos de maneira integrada. Consiste em 18 filipetas que trazem o nome do conceito relacionado ao psicodrama e mais 18 contendo uma explicação teórica de cada um dos conceitos abordados.

Solicita-se ao grupo de alunos que se dividam em subgrupos de três ou quatro pessoas. Cada subgrupo recebe um conjunto de filipetas contendo o nome de alguns conceitos psicodramáticos. Os grupos são orientados quanto à possibilidade de consultar outras filipetas que explicam teoricamente o significado de um ou mais conceitos, e são informados de que devem solicitar a consulta caso tenham dúvidas quanto ao significado. Em seguida, recebem a consigna para criarem uma cena que represente os conceitos abordados, utilizando o máximo de recursos psicodramáticos possível. Por fim, um grupo de cada vez é convidado a representar a cena criada. Enquanto um grupo representa, os outros grupos são orientados a assistir e a identificar os conceitos que foram demonstrados. Ao final de cada rodada inicia-se uma nova, com a distribuição de outros conceitos, até que todos tenham sido abordados.

Após a representação de cada cena faz-se uma discussão teórica e técnica sobre os conteúdos abordados em cena. Quando necessário, propõe-se refazer a cena considerando os pontos discutidos e não contemplados na primeira representação.

O aquecimento

Em um primeiro momento foi realizado um aquecimento inespecífico a fim de que o grupo resgatasse na memória o nome de todos os conceitos psicodramáticos abordados nas disciplinas anteriores. Foram registrados os nomes dos seguintes conceitos: duplo, espelho, inversão de papéis, identidade do eu, reconhecimento do eu, reconhecimento do tu, matriz de identidade, espontaneidade, tele, conserva cultural, papéis psicodramáticos, papéis sociais, papéis psicossomáticos, concretização, maximização, interpolação de resistência, átomo social, aquecimento inespecífico, aquecimento específico, dramatização, comentários, contextos, protagonista, diretor, plateia, palco, ego auxiliar.

O registro dos nomes foi feito em uma folha gigante, com todo o grupo participando ao mesmo tempo, por meio de desenhos e palavras escritas.

Em seguida, o grupo foi direcionado para o aquecimento específico; solicitamos que ele se dividisse em dois subgrupos, cada um com três integrantes. Foram explicadas as regras do jogo e sorteadas as primeiras filipetas.

A dramatização
A cena descrita a seguir foi representada pelo Subgrupo 2, que recebeu um jogo de filipetas com os conceitos "concretização", "solilóquio", "identidade do eu", "aquecimento" e "contexto dramático". Em seguida o Subgrupo 2 criou uma cena composta por uma mãe, seu filho, chamado Anderson, e uma psicóloga.

Mãe: "Eu trouxe o Anderson aqui quase amarrado. Ele tem que ser internado de novo, do contrário vai se matar. O pai já o abandonou e eu não sei o que devo fazer".

Psicóloga: "Como você está, Anderson?"

Anderson: "Ela está louca. Não sou viciado. Paro de usar quando quiser, não preciso ser internado".

Psicóloga: "Em que momentos você usa a droga?"

Anderson: "Quando eu estou com amigos, só na hora em que eu quero".

Mãe: "Como não precisa de tratamento? Você dorme na rua, não para em emprego nenhum".

Anderson: "Eu perdi o emprego por outro motivo, não por isso".

Psicóloga: "Como você está fazendo para obter a droga?"

Mãe: "Conta pra ela que as coisas estão sumindo lá de casa".

Anderson: "São minhas coisas, eu tô vendendo, tenho esse direito".

Mãe: "Vendendo nada, você está dando as coisas para conseguir droga".

Anderson: "Ela tá louca. Acabou com a vida do meu pai, agora quer acabar com a minha".

Psicóloga: "Venha aqui (palco) um pouquinho. Se você pudesse dar vida à droga, como ela seria?"

Anderson: "Alta, grande e forte, me faz sentir muito bem".

Psicóloga: "E quando você não está usando, como se sente?"

Anderson: "O clima em casa é de briga. Meu pai já largou dela, eu também não estou aguentando".

Psicóloga: "Como é a rotina de vocês em casa?"

Mãe: "Fico esperando o telefone tocar para ver onde vou ter que buscá-lo. Não me alimento, não durmo, meus vizinhos vendo ele roubar..."

Anderson: "Estou com meus amigos. Ela quer que eu chegue em casa cedo, já não sou mais criança, quer que ligue o tempo todo. Não quero voltar pra casa. Ela só pega no meu pé, fica me perguntando quando eu vou arrumar outro emprego. Ninguém aguenta conviver com uma pessoa dessas".

Psicóloga: "Você pode mostrar aqui para a gente? Mostre você chegando em casa".

Mãe: "Onde você estava? Você não vai comer?"

Anderson: "Eu estava com meus amigos. Vou para o banheiro, tchau!"

Psicóloga: "Pensa alto" (solilóquio da mãe).

Mãe: "Aí fico plantada na porta do banheiro esperando ele sair, porque ele tá lá, cheirando e fumando dentro de casa. Como vou ficar em paz com isso dentro de casa? E toda a vizinhança sabe, já teve até denúncia".

Anderson: "Enquanto eu não saio do banheiro ela não sai da porta! Que saco! Como eu vou ficar em paz em casa com você atormentando minha cabeça? Assim não dá!"

Psicóloga: "Agora invertam os papéis. Repitam a cena com papéis invertidos".

Anderson no papel de sua mãe: "Onde você estava?"

Mãe no papel de Anderson: "Eu estava com meus amigos..."

Anderson no papel da mãe: "Você não vai comer?"

Mãe no papel de Anderson: "Vou para o banheiro, tchau!"

Anderson no papel de sua mãe: "Saia daí, venha comer, pelo amor de Deus venha comer".

A psicóloga pede para Anderson dizer em voz alta o que está pensando, ainda vivenciando o papel de sua mãe: "Pensa alto".

Anderson no papel de sua mãe: "Eu estou preocupada, ele saiu o dia todo e não voltou. Eu estou muito mal".

A psicóloga pede para a mãe de Anderson dizer em voz alta o que está pensando, ainda vivenciando o papel do filho: "Pensa alto".

Mãe no papel de Anderson: "Eu quero liberdade, autonomia, falar o que eu quero na hora em que eu quiser".

Nesse momento, a psicóloga encerra a dramatização e pede que ambos se sentem. Propõe uma conversa.

Mãe: "Quero que ele saia do mundo das drogas, que tenha responsabilidade. É só isso".

A psicóloga solicita ao seu ego auxiliar que faça um duplo de Anderson.

Duplo de Anderson aplicado pelo ego auxiliar: "Queria ser mais aceito, queria poder ser eu, ser mais feliz. Assim me sinto infeliz, pelo menos lá no grupo é bom, meus amigos gostam de mim. Lá eu tenho meu espaço".

Psicóloga: "Anderson, essas palavras fazem sentido?"

Anderson: "Sim..."

Nesse momento, encerra-se a cena construída e a diretora (professora da aula) abre para o subgrupo identificar quais foram os conceitos abordados. O subgrupo identificou quatro instrumentos psicodramáticos, entre eles o diretor, o protagonista, o ego auxiliar e o palco; dois contextos, entre eles o grupal e o dramático; a etapa da dramatização; a técnica do duplo; e enquadraram o paciente (Anderson) na primeira fase da matriz de identidade.

Depois da leitura, a professora fez algumas observações, explicando a necessidade da realização de uma entrevista mais aprofundada para compreender o que estava de fato acontecendo com Anderson e, com base nisso, ter dados para a aplicação de um duplo, se necessário. Ela também comentou sobre o atendimento de adolescentes, explicando como funciona o contrato de sigilo. Sugeriu uma primeira entrevista apenas para ouvir a família e um segundo encontro apenas com Anderson para iniciar as intervenções necessárias. Em seguida, convidou o subgrupo a reapresentar a cena considerando as observações, com o desafio de incluir a técnica solicitada na filipeta (que não havia sido aplicada na primeira tentativa).

Apresentação da cena com alterações propostas pela discussão:

Mãe: "Eu estou aqui procurando ajuda, porque não sei mais o que fazer para ajudar. O pai dele disse que já desistiu, que vai embora, que não aguenta mais, que ele já é um caso perdido. Mas eu não consigo aceitar que é um caso perdido".

Psicóloga: "Como você está? Como foi a semana?"

Anderson: "Foi normal, nada de especial".

Psicóloga: "Você continua usando a droga?"

Anderson: "Continuo, é a única coisa que me dá prazer".

Psicóloga: "Levante e venha comigo. Como é usar drogas? Como você se sente usando drogas?"

Anderson: "É bom. Me sinto bem, grande, forte".

Psicóloga: "Desde quando você está usando?"

Professora: "Congela um pouquinho. O que você está pensando em fazer?"

Aluna: "Estou pensando em investigar a relação que ele estabeleceu com a droga".

Professora: "Que técnica podemos aplicar para investigar a relação entre o Anderson e a droga?".

Aluna: "A concretização".

Professora: "Então tudo bem, podem continuar. Se precisarem de ajuda, eu entro quando necessário".

Psicóloga: "Como é para você usar a droga?"

Anderson: "Me sinto bem, forte, grande".

Psicóloga: "Me mostra como é isso".

Anderson: "Como se eu crescesse, ficasse alto, me colocasse pra cima". (Sobe num banco.)

Psicóloga: "Como é para você estar aí em cima, nesse espaço? O que a droga diz a você?"

Anderson: "Aliviado, como se estivesse sem pressão. A droga faz isso comigo. Ela me levanta, me dá força e me deixa grande".

Professora: "Congela um pouquinho. Pessoal, o que é que está faltando?"

Alunos: "O Anderson mostrar como é a droga".

Professora: "Ótimo. Então podem continuar".

Psicóloga: "Anderson, me mostra como é a droga agora, e o ego auxiliar vai ficar no seu lugar. Droga, como conheceu o Anderson? Como você é?"

Anderson no papel da droga: "Num grupo de amigos da escola. Primeiro foram oferecendo bem pouquinho, e agora ele já está dominando as emoções dele, consegue fazer muitas coisas que era inseguro para fazer. Eu dou suporte para ele, ele não é mais bobão, é outra pessoa. Antes ele não conseguia fazer nada, agora eu garanto ele. Ele me conheceu com 11 anos, foi aos poucos, e agora já estou aqui há um tempo".

Psicóloga: "Invertam os papéis".

A partir desse ponto, a cena transcorre com uma conversa entre a droga e Anderson. Encerra-se a quinta cena e o professor (da aula) abre para o outro subgrupo identificar quais foram os conceitos abordados na cena construída. O subgrupo identificou quatro instrumentos, entre eles o diretor, o protagonista, o ego auxiliar e o palco; etapa do aquecimento e a da dramatização; dois contextos, entre eles o grupal e o dramático; a técnica da concretização; e enquadraram o paciente na primeira fase da matriz de identidade.

O compartilhar

Ao final da aula, pediu-se aos participantes que compartilhassem como estavam se sentindo enquanto alunos ao passar pela experiência da aula. Relataram se sentir leves, motivados para o estudo, com a sensação de que já haviam aprendido muitas coisas sobre o psicodrama, e afirmaram que ao mesmo tempo tinham muito a aprender. Colocaram até que ponto trabalhar em grupo foi importante para construírem as cenas, que sozinhos provavelmente não teriam produzido tudo que mostraram. Expressaram sentimentos de ansiedade e medo inicial quando receberam as filipetas, pois ficaram receosos de não lembrar tudo que estava escrito, mas disseram que com o passar do tempo foram retomando na memória as lembranças das aulas e, aos poucos, foram capazes de relacioná-las com exemplos vividos ou observados por eles no dia a dia.

"Nossa, quanta coisa eu já aprendi!", "Preciso estudar tudo que tivemos até agora para que eu consiga acompanhar daqui para a frente", "Só agora consegui ter verdadeira noção de como esses conceitos todos se inter-relacionam", "Tudo que estudamos até agora passou a ter sentido..." foram citações feitas pelos alunos.

Por fim, concluíram que havia sido importante passar pela experiência do jogo, pelo fato de conseguirem ter uma ideia concreta do que tinham aprendido até o momento e do que precisavam estudar para compreender melhor o assunto.

O processamento teórico

Pretendeu-se com esse trabalho proporcionar aos alunos um pensar psicodramático, que integrasse os conceitos básicos do psicodrama.

A compreensão dos conceitos psicodramáticos e a conexão entre eles foram favorecidas durante todo o jogo: no aquecimento inespecífico, quando pedimos que os alunos relembrassem e registrassem todos os conceitos abordados nas disciplinas anteriores; no aquecimento específico, quando solicitamos que criassem uma cena considerando os conceitos descritos nas filipetas; e durante a dramatização, quando colocaram em ação a cena planejada.

Na etapa do aquecimento inespecífico, pediu-se ao grupo que escrevesse livremente em uma folha de papel *craft* os nomes dos conceitos psicodramáticos aprendidos até o momento. Percebeu-se que esse momento proporcionou a interação entre os participantes, a atenção do grupo para o assunto a ser abordado e uma preparação para que seguissem com a próxima etapa. Segundo Rojas-Bermúdez (1980), o aquecimento é fundamental, pois visa minimizar as resistências e os estados de tensão, situar e concentrar a atenção do sujeito em si mesmo, facilitar a interação e prepará-lo para novas experiências. Romaña (1987) afirma que nenhum conhecimento adquire vida dentro de um aluno se não há um campo propício e disponibilidade para isso.

Ainda na etapa do aquecimento, agora específico, pediu-se que o grupo criasse uma cena considerando os conceitos determinados nas filipetas, o que estimulou os alunos a buscar experiências vividas em seu cotidiano e utilizar o saber adquirido durante os meses iniciais da formação. Segundo Romaña (2004), é necessário considerar a estrutura cognitiva preexistente, e ensinar de acordo com essas condições é fundamental para garantir a aquisição eficiente de conhecimento, pois torna a aprendizagem significativa para o aluno.

Observou-se também que, embora a construção das cenas tivesse como objetivo considerar os conceitos das filipetas, outros construtos psicodramáticos também foram incluídos involuntariamente, e o subgrupo responsável pela leitura da cena representada identificava conceitos além daqueles planejados pelo grupo. Esse dado foi apontado pelos participantes na etapa do compartilhar, o que contribui para a compreensão do fato de que os conceitos estavam interligados.

Embora fosse possível consultar o significado dos conceitos descritos nas filipetas, apenas um subgrupo utilizou esse recurso. Abrir essa possibilidade teve o objetivo de proporcionar ao grupo um campo relaxado, aspecto importante para facilitar o acesso ao saber adquirido até aquele momento. O indivíduo em campo tenso cria uma espécie de defesa que o impede de ter a visão do todo e de si mesmo, o que pode comprometer a relação com o outro, a percepção e a comunicação. No campo relaxado, ao contrário, ele é capaz de ampliar essa visão e emitir respostas assertivas (Bally, 1958).

De início, o grupo mostrou-se preocupado em relação a criar uma cena considerando todos os conceitos abordados, pois até o momento os participantes haviam vivido situações de aprendizado nas quais a proposta era centrada em um ou em poucos conceitos, ainda de modo fragmentado. É importante ressaltar que o início do curso de formação enfatiza a apresentação dos conceitos do psicodrama, entendendo que são peças de um grande quebra-cabeça. Com o tempo, analisando cada uma delas, torna-se possível encaixar umas nas outras, construindo uma forma única. Assim, espera-se que nessa etapa do curso o aluno esteja com dificuldade de compreender e realizar práticas utilizando o referencial teórico, sendo de suma importância proporcionar condições para que ele exercite o raciocínio psicodramático considerando todas as informações e se arrisque a colocar em prática o conhecimento adquirido.

É um momento marcado pela transição de respostas conservadas – com pouca dose de qualidade dramática, criatividade, originalidade e adequação ao desempenhar o papel de psicodramatista – para um momento de crescimento gradativo de todas essas expressões da espontaneidade.

A dramatização permitiu ao grupo expressar e aprofundar o saber adquirido até aquele momento, identificar as dúvidas e testar suas hipóteses. A leitura realizada pelos subgrupos que assistiam à representação e à discussão dirigida pelo professor provocou a consciência crítica do grupo, abrindo o campo de visão, o reconhecimento de suas dificuldades e a possibilidade de recriar o conhecimento anterior. Além disso, colocou o aluno como corresponsável por seu aprendizado, levando-o a refletir sobre a busca de respostas para suas dúvidas. Segundo Freire (2001), quando a consciência crítica é motivada, passa a refletir sobre si mesma, mobilizando o ser humano na direção da ação e procurando transformar a realidade.

A utilização do jogo como recurso pedagógico foi extremamente importante para a construção do conhecimento do aluno, pois permitiu a aquisição de um nível de conhecimento que foi além daquilo que está escrito nos livros. Envolveu uma dimensão não só intelectual, mas também afetiva. Segundo Ramalho (2001, p. 3),

> O psicodrama aplicado à educação procura então "emocionalizar" conceitos teóricos previamente aprendidos. O aluno deixa de aprender apenas através do intelecto para assimilar conhecimentos com sua personalidade global. O professor passa a ser um facilitador do processo que é assumido pelo aluno, criando um clima de liberdade e espontaneidade, onde este último desenvolverá o seu potencial e criará.

A dramatização é uma das características fundamentais do psicodrama (Cukier, 1992). No processo de aprendizagem, é fundamental que o aluno vá ao palco e traga seu saber acerca de determinado assunto, tornando-o um lugar de pesquisa, de descobertas e possibilidades (Marra e Fleury, 2008).

De acordo com Koudela (1984), a imaginação dramática está no centro da criatividade humana e deve estar presente na educação, pois é parte fundamental do processo de desenvolvimento da inteligência. Mesmo considerando que a imitação e o jogo estão relacionados ao processo de pensamento e ao desenvolvimento da cognição, é a imaginação dramática que interioriza os objetos e confere significados a eles.

O diálogo perdurou por toda a intervenção, ora entre os alunos, ora entre os alunos e as professoras, proporcionando a troca de percepções e informações, além do esclarecimento de dúvidas. Freire afirma que o diálogo é o elemento-chave no processo de conscientização, pois é por meio dele que as pessoas emitem e recebem informações sobre a realidade.

Para o aluno iniciante, aprender psicodrama é como aprender um novo idioma. O idioma é composto por letras, palavras e sons que funcionam como signos, que, segundo Vigotski, auxiliam as funções psicológicas superiores (atenção voluntária, memória lógica, formação de conceitos etc.) e são capazes de transformar o funcionamento mental.

Dessa forma, o jogo utilizado foi um instrumento que funcionou como mediador entre o aluno e o objeto de conhecimento (psicodrama). Como instrumento, apresentou-se por meio de signos (nome dos conceitos) que ajudaram os estudantes a memorizar e a organizar o novo aprendizado, além de funcionar como marcas simbólicas que os auxiliaram a resgatar na memória o seu significado para, por meio dos papéis psicodramáticos, vivenciar e expressar simbolicamente a compreensão desses conceitos e da maneira como eles se relacionam entre si.

A professora exerceu não só o papel de diretora dos encontros, mas também o de ego auxiliar, acompanhando e auxiliando o processo de desenvolvimento dos alunos, levando propostas pertinentes às necessidades apresentadas, realizando intervenções adequadas e muitas vezes nomeando e organizando o material expresso pelos alunos.

Tanto o jogo em si como as intervenções feitas pela professora objetivaram desenvolver o potencial dos estudantes. O trabalho partiu do conhecimento que tinham a respeito do assunto, e foram feitas as intervenções necessárias para aprimorar esse conhecimento e desenvolver maior autonomia nos indivíduos. As intervenções realizadas pelo professor atuaram diretamente sobre a zona de desenvolvimento proximal do grupo, oferecendo os subsídios necessários para aproximá-los da zona de desenvolvimento real.

Segundo Vygotsky (1989, p. 112-13), a zona de desenvolvimento proximal é:

> [...] a distância entre o nível de desenvolvimento real, que se costuma determinar através da solução independente de problemas, e o nível de desenvolvimento potencial, determinado através da solução de problemas sob a orientação de um adulto ou em colaboração com companheiros mais capazes. [...] A zona de desenvolvimento proximal define aquelas funções que ainda não amadureceram, mas que estão em processo de maturação, funções que amadurecerão, mas que estão presentemente em estado embrionário. Essas funções poderiam ser chamadas de brotos ou flores do desenvolvimento, ao invés de frutos do desenvolvimento.

Freire (2011) enfatiza que ensinar não é transferir conhecimento, mas criar possibilidades para a produção ou construção do saber pelo aluno. O educador deve ir além de definir conteúdos programáticos para desenvolver em suas aulas; é preciso buscar didáticas que despertem a curiosidade dos estudantes, pois esta é fundamental para provocar a imaginação, a intuição e a capacidade para transformar.

Considerações finais

A utilização do jogo dramático mostrou-se um recurso pedagógico valioso no processo de desenvolvimento do aluno psicodramatista.

A utilização desse recurso pedagógico, chamado por Maria Alicia de "composição", foi extremamente importante para a construção do conhecimento do aluno, pois proporcionou a aquisição de um nível de conhecimento que foi além daquilo que está escrito nos livros. Envolveu uma dimensão não apenas intelectual, mas também afetiva.

Poder vivenciar o significado de uma informação nova ofereceu aos alunos a oportunidade de descobrir por si sós o sentido daquilo que estavam aprendendo, o que tornou o aprendizado muito mais interessante e eficiente.

O jogo utilizado propiciou aos alunos e ao professor uma medida do conhecimento adquirido pelo grupo até o momento, auxiliando o docente na escolha dos conceitos que deveriam ser abordados nas aulas seguintes. Além disso, tornou possível a realização de aulas mais lúdicas e prazerosas, permitindo melhor assimilação dos conteúdos formais necessários ao processo de ensino-aprendizagem.

A pedagogia psicodramática utilizada como método de ensino, e o jogo como uma de suas modalidades ou composições psicodramáticas, facilitaram sobremaneira a compreensão dos conceitos psicodramáticos e da maneira como estes estão inter-relacionados. Integração, afetividade, criatividade, leveza, motivação, envolvimento, conexão entre teoria e prática e a capacidade de vivenciar os papéis psicodramáticos criados por eles mesmos foram aspectos favoráveis à aprendizagem, potencializados pelo uso da pedagogia psicodramática. Essa experiência propiciou tanto a aquisição de informações como reflexões a respeito do papel de diretor e ego auxiliar, contribuindo para o desenvolvimento do papel de psicodramatista.

Acredita-se que os efeitos obtidos pela aplicação do jogo dramático "Conceitos em ação" poderão contribuir para reflexões e a escolha de estratégias pedagógicas que de fato estimulem o raciocínio dos alunos, despertem a curiosidade, potencializem a criatividade e desenvolvam a capacidade de oferecer respostas espontâneas às situações que enfrentarão no decorrer de toda a vida acadêmica e profissional.

Referências

Bally, G. *El juego como expresión de libertad*. Cidade do México: Fondo de Cultura Económica, 1958.

Baraldi, G. S. *Conceitos em ação – O uso de um jogo dramático como instrumento da pedagogia psicodramática aplicado no grupo de alunos de formação em Psicodrama*. Monografia (titulação de Didata Supervisor em Psicodrama) – Associação Brasileira de Psicodrama e Sociodrama, São Paulo, 2013.

Baraldi, G. S.; Martin, M. A. F. Conceitos em ação: o uso de um jogo dramático como instrumento da pedagogia psicodramática aplicado no grupo de alunos de formação em Psicodrama. *Revista Brasileira de Psicodrama*, v. 22, n. 2, 2014.

Bustos, D. M. *Psicoterapia psicodramática*. São Paulo: Brasiliense, 1979.

Capellini, V. L. M. F.; Bellido, L. P. O que os professores pensam sobre os jogos dramáticos? *Olhar do Professor*, Ponta Grossa, v. 11, n. 2, 2008, p. 383-401.

Courtney, R. *Jogo, teatro e pensamento – As bases intelectuais do teatro na educação.* São Paulo: Perspectiva, 2003.

Cukier, R. *Psicodrama bipessoal.* São Paulo: Ágora, 1992.

Datner, I. *Jogos para educação empresarial – Jogos, jogos dramáticos, role-playing, jogos de empresa.* 2. ed. São Paulo: Ágora, 2006.

Freire, P. *Conscientização – Teoria e prática da libertação – Uma introdução ao pensamento de Paulo Freire.* São Paulo: Centauro, 2001.

_____. *Pedagogia da autonomia – Saberes necessários à prática educativa.* Rio de Janeiro: Paz e Terra, 2011.

Gonçalves, C. S.; Wolff, J. R.; Almeida, W. C. *Lições de psicodrama – Introdução ao pensamento de J. L. Moreno.* São Paulo: Ágora, 1988.

Koudela, I. *Jogos teatrais.* São Paulo: Perspectiva, 1984.

Marra, M. M.; Fleury H. J. (orgs.). *Grupos – Intervenção socioeducativa e método sociopsicodramático.* São Paulo: Ágora, 2008.

Moreno, J. L. *Psicoterapia de grupo e psicodrama.* São Paulo: Mestre Jou, 1972.

_____. *Psicodrama.* São Paulo: Cultrix, 2008.

_____. *Fundamentos do psicodrama.* São Paulo: Ágora, 2014.

Ramalho, C. M. R. *A dinâmica de grupo aplicada à educação – O psicodrama pedagógico e a pedagogia simbólica.* Texto não publicado. Arquivo Profint/SE, Aracaju, 2001.

Rojas-Bermúdez, J. *Introdução ao psicodrama.* 3. ed. São Paulo: Mestre Jou, 1980.

Romaña, M. A. *Psicodrama pedagógico.* Campinas: Papirus, 1985.

_____. *Psicodrama pedagógico – Método educacional psicodramático.* 2. ed. Campinas: Papirus, 1987.

_____. *Construção coletiva do conhecimento através do psicodrama.* Campinas: Papirus, 1992.

_____. *Do psicodrama pedagógico à pedagogia do drama.* Campinas: Papirus, 1996.

_____. *Pedagogia do drama – 8 perguntas & 3 relatos.* São Paulo: Casa do Psicólogo, 2004.

_____. *Pedagogía psicodramática y educación consciente – Mapa de un accionar educativo.* Buenos Aires: Lugar, 2009.

Ruiz-Moreno, L. *et al.* Jornal vivo: relato de uma experiência de ensino-aprendizagem na área da saúde. *Interface Comunicação, Saúde e Educação,* Botucatu, v. 9, n. 16, 2005, p. 195-204.

Vygotsky, L. S. *A formação social da mente – O desenvolvimento dos processos psicológicos superiores.* 3. ed. São Paulo: Martins Fontes, 1989.

Yozo, R. Y. K. *100 jogos para grupos – Uma abordagem psicodramática para empresas, escolas e clínicas.* 16. ed. São Paulo: Ágora, 1996.

11. *ROLE-PLAYING* – ENSINO-APRENDIZAGEM ALÉM DAS CONSERVAS CULTURAIS

Cristiane Tavares Romano

Introdução

Escrever sobre ensino-aprendizagem é desafiador para mim, pois esse tema aciona várias memórias de minha trajetória acadêmica. Algumas boas, outras nem tanto.

Quando pequena, estudei em uma escola particular tradicional, conservadora, no período da ditadura. Lá aprendi a ler, escrever, copiar, obedecer e estudar muita coisa que não fazia sentido nenhum para uma criança. Entrei no laboratório dessa escola apenas uma vez e subia no palco do belo anfiteatro uma vez ao ano, para receber medalhas que me colocavam em uma fileira por mérito por causa das notas alcançadas. Não aprendi a analisar, criticar e refletir. Não entendia nada do que estava aprendendo, apenas decorava conteúdos e mais conteúdos, alcançava as notas necessárias e passava de ano. Sofria muito, me sentia muito mal e tinha baixa autoestima por querer ser como minhas colegas que recebiam medalhas de ouro.

No ensino médio, fui para outro colégio totalmente diferente. Esse era um colégio público, renomado, que até hoje é conhecido por estar na vanguarda de muitas mudanças educacionais, políticas e sociais. Lá comecei a ver o mundo sem amarras e conservas. Todos pensavam, eram livres, entendiam o que era estudado, discutiam e articulavam as ideias com muita facilidade. Nesse colégio havia inclusive um centro estudantil, onde os alunos podiam se encontrar, se expressar, falar sobre política, lutar pelos seus direitos e planejar reivindicações. Professores e alunos coconstruíam o conhecimento. Lá eu me reinventei, desenvolvendo algumas habilidades para acompanhar o grupo, mas não era capaz de voar tão alto quanto aqueles que estavam ali desde pequenos. Essa mudança veio na faculdade.

Escolhi o curso de Psicologia. Entrei em uma faculdade pequena, que hoje não existe mais. Ali consegui me descobrir e crescer. Os professores eram muito próximos e afetivos. Lá, no terceiro ano do curso, no início do período de estágios supervisionados, encontrei o psicodrama. As supervisões em Psicodrama me encantavam. O supervisor me impressionou desde o primeiro dia com algo que eu mesma não sabia, mas buscava havia tempos: a espontaneidade e a afetividade. Ele parecia um maestro regendo brilhantemente uma orquestra de 30 alunos em uma grande roda. Firme e carismático, ele nos ensinava a realizar sessões de psicodrama e supervisionava os casos clínicos usando *role-playing* em todos os encontros. Éramos pacientes e psicoterapeutas. Vivíamos ali, naquela arena, todos os dramas dignos de futuros psicólogos clínicos. Tive a certeza, desde a primeira vez que o vi, que queria viver aquilo pelo resto da minha carreira.

Acredito que o processo de ensino-aprendizagem deve ser vivenciado de maneira que aluno e professor saiam acrescidos, que ambos ensinem e aprendam, que haja o resgate da espontaneidade-criatividade, proporcionado por uma relação télica. O vínculo afetivo e a metodologia socionômica podem promover uma aprendizagem horizontal, libertadora, mais ampla, profunda e verdadeira, diferente da "bancária" e do "cuspe e giz", vertical, na qual há alguém que detém o saber e outro que não o detém.

Neste capítulo, abordaremos a importância do uso do *role-playing* na educação, seu papel no desenvolvimento da espontaneidade-criatividade, o fator tele e as relações interpessoais, destacando o psicodrama pedagógico de Maria Alicia Romaña e finalizando com a exemplificação de três vivências.

O *role-playing* é um dos métodos da socionomia aplicado ao ensino largamente difundido por auxiliar de maneira prática, rápida e eficaz a aquisição de uma nova aprendizagem, facilitando a melhor compreensão de conceitos, sentimentos e a percepção dos indivíduos envolvidos, rompendo conservas culturais e encontrando novas respostas mais adaptadas à situação vivida.

Atualmente, ele é aplicado em diversos ambientes e inclusive fora da abordagem psicodramática, o que acarreta alguns desvios, tanto de seu propósito teórico quanto do técnico.

Espontaneidade-criatividade e aprendizagem

Ao longo de sua obra, Moreno sempre ressaltou a importância do resgate da espontaneidade e da criatividade pelo ser humano para que este possa desfrutar de uma vida mais saudável e ajustada a suas necessidades, desejos e forma de ser. O contrário disso é o embotamento, o adoecimento e uma vida cheia de conservas que não permitem o processo criador da alma.

Para Moreno, como somos criaturas com centelhas divinas, somos também criadores, e essa é a nossa missão: dar continuidade à obra inacabada de Deus. Deixar esse potencial de lado seria um desperdício e acarretaria o fim da humanidade. Esse autor compreende que as conservas culturais protegem o indivíduo de situações ameaçadoras e asseguram a herança cultural. Porém, quanto mais se difundem e se enraízam no seio da sociedade, mais se tornam uma ameaça à criação, provocando a extinção da centelha divina (Moreno, 1997).

O declínio da função criadora do ser humano levou Moreno a pensar na categoria do momento e a dar mais atenção à espontaneidade e à criatividade de um novo prisma. Sua nova proposta, diante dessa leitura sobre o adoecimento da sociedade, é lançar um olhar para a matriz criadora e trazê-la para nossa vida cotidiana (Moreno, 1997).

Ele afirma que a única forma de lutar contra as conservas culturais, as máquinas e os robôs é por meio da estratégia do ato criador, que pode gerar uma mudança contínua, fazendo uso da espontaneidade. Apenas isso salvaria a humanidade da rendição aos padrões preestabelecidos, sendo o caminho a revolução que começa dentro de nós, a Revolução Criadora (Moreno, 1997). Desenvolver uma pedagogia baseada em um método criativo, na qual a arte da espontaneidade seja desenvolvida e dê aos alunos a capacidade de criar continuamente (Moreno, 1997), pode ser uma solução, pois somente assim a criança e o jovem conseguirão sobreviver em uma realidade com propensão a se conservar.

Estimulado pelas ideias de Rousseau, que defendia uma escola sem paredes, onde a criança deveria entrar em contato com a natureza, Moreno (1997) propõe que o psicodrama seja usado como método pedagógico. Ele dá um exemplo no qual as crianças se reúnem diariamente nos jardins de Viena e lá têm a oportunidade de vivenciar e construir o conhecimento individual e coletivo, de dentro para fora, espontânea e criativamente, libertando a imaginação e a fantasia. Elas são livres e podem experienciar tudo que as cerca, e não apenas conhecem o mundo pelos livros e professores. Ali elas voltam toda a sua atenção primeiro para coisas, seres vivos e pessoas, depois os nomeiam. Dão um novo significado a tudo e têm a oportunidade de não coisificar o mundo. Desenvolvem uma nova compreensão e atitude perante o mundo, na qual todas as disciplinas e seus objetos de estudo deixam de ser itens de conhecimento para se tornar amigos. Podem ser quem e o que quiserem ser, para, com base nessa vivência, em contato direto, aprender tudo sobre o mundo e nomeá-lo.

A escola que faz uso do psicodrama prepara seus alunos para viver livremente, com base na cocriação constante do mundo e de si mesmos. Essa escola é responsável por um ensino-aprendizagem apoiado no desenvolvimento da espontaneidade-criatividade e do fator tele, estimulando a expressão da capacidade espontâneas e criativa do ser por meio das relações sociais e estabelecendo diálogos significativos consigo e com o outro.

Para Moreno (2008), a espontaneidade deve ser treinada, já que não se encontra em um reservatório dentro do indivíduo. Trata-se de uma prontidão que precisa ser acionada de acordo com a necessidade e que funcionaria apenas no momento em que emerge, no aqui e agora, para trazer à tona a criatividade. Somente a conserva cultural, produto desse dueto espontaneidade-criatividade, pode ser acumulada. Ele acrescenta que o papel do terapeuta é treinar a espontaneidade de seus pacientes para que eles consigam experimentar, dentro do contexto psicodramático, suas potencialidades, papéis e respostas mais adequadas em diferentes situações da vida (Moreno, 1997).

Por outro lado, a espontaneidade é um fator importantíssimo para a socialização, pois promove a colaboração e a cocriação, a liberação de estereótipos, comportamentos, pensamentos rígidos e convencionais, ao mesmo tempo que incentiva a originalidade e a adequação, em contexto dramático, para que o indivíduo encontre novos caminhos diante de situações vividas no contexto social (Romaña, 1992).

O conceito de espontaneidade-criatividade, acrescido ao de tele, amplia a compreensão do ser em relação (Romaña, 1992). O fator tele seria a força que leva os indivíduos a buscar relações complementares, gerando um movimento de aproximação e repulsa entre os membros de um grupo e permitindo a religação e a responsabilidade social. Cada indivíduo é responsável pela manutenção do grupo, no qual tem a oportunidade de criar um diálogo consigo e com o outro (Pontes, 2018), desenvolver papéis nessas relações e construir sua identidade. Portanto, o conceito tele-espontaneidade-relação estaria envolvido em todo o processo de aprendizagem e de construção de significado, dando ao indivíduo a possibilidade de aprender, ensinar, conhecer-se, interagir e coconstruir a realidade a cada instante, no aqui e agora.

Compreendendo a filosofia do momento conseguimos entender melhor a possibilidade da relação temporal na qual passado-presente-futuro são vivenciados no momento presente, no "como se", possibilitando trabalhar qualquer cena, localizada em qualquer tempo e espaço, seja para sua melhor compreensão, ressignificação ou transformação (Romaña, 1992). Assim, o sujeito deixa de ser apenas um depositário para se tornar um participante ativo de tudo aquilo que vivencia e aprende.

Psicodrama pedagógico

Ao buscar um método didático que atendesse a suas necessidades dentro do campo da educação com proposta fenomenológica, Romaña (1987) percebe o potencial do psicodrama. Ela o vê como um método de construção do conhecimento e considera que o educador, ao fazer uso desse método, consegue integrar o conhecimento adquirido à experiência vivida pelo aluno, tornando a aprendizagem mais rica e profunda, não baseada apenas em teorias e abstrações que não o preparam para o mundo real.

Partindo de sua experiência com o psicodrama terapêutico, Romaña desenvolve o psicodrama pedagógico ao longo de suas práticas com educadores e alunos na Argentina e no Brasil, pensando em criar uma metodologia psicodramática mais adequada à educação.

Para a autora (1987), o psicodrama pedagógico conta com a tríade grupo-jogo-teatro, que favorece o desenvolvimento do conhecimento fazendo uso dos conceitos, da filosofia e da metodologia psicodramática. Assim, aquele que experiencia esse método, seja criança ou adulto, seja no ambiente escolar ou organizacional, desenvolve sua expressividade, estabelece vínculos com o grupo, se reconhece, elabora novos conceitos e explora diferentes papéis e seus complementares.

Várias possibilidades surgem com a metodologia do psicodrama no ensino – como o uso do corpo, a exploração da expressividade, o treinamento da espontaneidade, a interação com o grupo e o uso do aprendizado com maior propriedade.

Com a inversão de papéis, os envolvidos na técnica têm a oportunidade de sair de suas percepções pessoais para vivenciar a realidade do lugar do outro. O solilóquio permite que o indivíduo, durante a dramatização, exponha em voz alta suas percepções, sensações, pensamentos e sentimentos, ajudando-o a se perceber melhor e ajustar suas decisões. Já na interpolação de resistências ocorre uma proposta provocativa de mudança do comportamento estereotipado para outro mais adequado e espontâneo-criativo (Romaña, 1987). Fazendo uso desse instrumental, o educador teria condições de trabalhar qualquer conteúdo com seus alunos.

A metodologia psicodramática usada em sala de aula favorece a melhor aquisição do conhecimento, desenvolve a socialização, auxilia o aluno a se perceber agindo e amplia sua interação com o ambiente de forma mais adequada. O estudante encontra seu modo de ser e de se relacionar com o outro, ao mesmo tempo que aprende (Romaña, 1987). Também o ajuda a colocar para fora seu conhecimento e a incorporar o novo como seu; nesse processo, ele consegue dar sentido e valor ao conhecimento dentro de um contexto sociocultural.

A comunicação entre professor e aluno ganha um novo contorno com a metodologia psicodramática, pois se torna mais eficaz. O professor consegue acompanhar o aprendizado do estudante de forma ampla e a transmissão do ensino se torna mais verdadeira e profunda, totalmente diferente do ensino baseado em conteúdos a ser decorados e reproduzidos sem o menor significado para o aprendiz, isolados no tempo e espaço (Kaufman, 2021).

Além disso, o método permite que o docente facilite o acesso ao conhecimento, trabalhe melhor a resolução de conflitos e os problemas de disciplina e comportamento. Já no caso de cursos de formação de educadores, vemos o uso do psicodrama no desenvolvimento do papel profissional e na apreensão do conhecimento na prática (Romaña, 1987).

Role-playing

Por auxiliar no ensino-aprendizagem em sala de aula e na capacitação de professores (Romaña, 1987), o trabalho com o *role-playing* para a estruturação de papéis é um dos métodos muito utilizados dentro da metodologia da pedagogia psicodramática.

Datner (2006) lembra que o termo *role-playing*, cunhado por Moreno, apresenta dois sentidos. No sentido "estrito", é uma das etapas do desenvolvimento de papéis, diferenciando-se do *role-taking*, que é apenas a tomada de um papel acabado, sem nenhuma variação, e do *role-creating*, que permite alto grau de liberdade de expressão. O *role-playing* está entre essas duas fases, apresentando certa liberdade no desempenho do papel. Já no sentido "lato", *role-playing* é o nome dado ao jogo de papéis ou ao treinamento de papéis, como é mais conhecido dentro e fora do psicodrama.

Durante o jogo de papéis, o indivíduo tem a oportunidade de explorar as diversas possibilidades de representação de um papel, compreender os pontos de vista das pessoas em relação, atuar no papel do outro e se perceber dentro do seu papel. Além disso, pode modificar o papel utilizando conteúdos próprios e treinar situações bem próximas da realidade.

Kaufman (1992) lembra que o *role-playing* apresenta uma proposta bem diferente do *play-acting*, em que o ator representa, com fidedignidade, o papel de um personagem totalmente diferente dele e da vida real. Esse autor acrescenta que "desempenhar" um papel é bem diferente de "representar" um personagem em uma peça, e que o *role-playing* está ligado às situações vividas pelo sujeito em que a espontaneidade é buscada em primeiro lugar. O "jogar", *to play*, faz toda diferença nesse método, no qual o agir, o movimentar e a brincadeira estão presentes (Kaufman, 2021). O método acontece no "como se", o que possibilita ao indivíduo jogar todos os aspectos de seus papéis, explorando-os e buscando possibilidades infinitas, ao mesmo tempo que percebe os aspectos emocionais e psicológicos envolvidos.

Outro ponto relevante para o uso do jogo de papéis é a ampliação das respostas diante de situações e a coconstrução pelo grupo (Datner, 2006), já que o desenvolvimento da espontaneidade é o ponto principal do método (Kaufman, 2021).

O *role-playing* pedagógico, assim nomeado por Barberá e Knappe (1999), tem a função de aprendizagem, de jogo pedagógico com cenas, visando melhorar, complementar ou criar o papel que provoca disfunção. Citando Schützenberger, esses autores acrescentam que se trata de um instrumento de exploração das relações humanas e das modificações destas, podendo ser aplicável tanto à vida cotidiana quanto à profissional.

No campo do ensino, sua aplicação costuma evitar a dependência aluno--professor, ao mesmo tempo que cria um método mais ativo e de maior aproveitamento (Kaufman, 2021). Em cursos de formação das mais diversas áreas profissionais, é possível dramatizar possibilidades que os alunos enfrentarão em sua prática profissional. No caso de futuros médicos, estes podem vivenciar, em ambiente seguro, situações de pacientes em prontos-socorros, cirurgias, notícias de falecimento e condutas em casos difíceis, preservando-se de possíveis traumas em situações reais. É possível treinar procedimentos e corrigir manejos sem a presença do paciente, preservando tanto a este como ao futuro médico.

Outro aspecto observado com o *role-playing* no treinamento de futuros médicos é a possibilidade de vivenciarem tanto seus papéis como os de seus pacientes (Kaufman, 2021). Ao se colocarem no lugar do outro, os alunos treinam a empatia, humanizam a relação médico-paciente e percebem emoções e fantasias pertinentes no início da carreira ou em casos específicos que exigem manejo delicado. É possível também trabalhar as diferenças entre os papéis reais e os idealizados, preparando melhor os alunos para enfrentar os desafios de sua carreira. Tensões, ansiedades e defesas podem ser percebidas e trabalhadas nesse ambiente favorável, o que não seria possível com o método tradicional de ensino.

Pesquisa realizada por Hannes e Fürst (2013) com 7 supervisores psicodramatistas e 85 supervisionandos em formação e formados na prática de psicoterapia psicodramática, de diferentes grupos e países, permitiu comparar dois tipos de recurso utilizados em supervisões – reflexão verbal e dramatização – para verificar os impactos na aprendizagem. Com o levantamento dos dados coletados por questionários preenchidos pelos supervisionandos após cada supervisão, observou-se que a dramatização permitia melhor cumprimento das metas, redução da angústia e melhor transposição para a prática.

Esses mesmos autores observaram que supervisores que utilizam técnicas psicodramáticas realizam uma análise mais experiencial da prática do aluno, colocando mais ênfase em metáforas, imagens e símbolos (Hannes e Fürst, 2013), além de aumentar a reflexão sobre questões pessoais e biográficas. Ressaltam que a vantagem do método está em reencenar cenas terapêuticas desafiadoras, pensamentos e sentimentos que podem ser explorados com a técnica de inversão de papéis, o que contribui para a ampliação do olhar do aluno sobre o que está ocorrendo e lhe permite planejar os próximos passos. Acreditam também que as imagens trabalhadas durante as dramatizações podem ser mais fáceis de ser lembradas do que apenas as sentenças verbais carregadas de muita informação (Hannes e Fürst, 1993).

Role-training

O *role-playing* se tornou um método muito popularizado. Atualmente, observa-se seu uso de forma indiscriminada em diferentes setores. Costumamos vê-lo em supervisões e em salas de aula, sobretudo em cursos de formação da área da saúde

O resultado desse tipo de utilização empobrece e reduz a proposta moreniana à mera reprodução de uma resposta pronta que está a serviço de um sistema. Não se busca o desenvolvimento da espontaneidade e do desempenho dos papéis, mas apenas o reforço da conserva cultural, da normalidade, de papéis predeterminados e da adaptação social (Kaufman, 2021). Por isso o *role-playing* é muito usado em treinamentos com a finalidade de aprendizagem de habilidades e capacitação (Datner, 2006). Trata-se da simples reprodução de uma situação vivida ou hipotética para ilustrar como deve ocorrer algum manejo dentro do que seria ideal, conservado e reproduzido.

Um psicodramatista formado ou até mesmo um estudante de psicodrama mostra estranheza ao deparar com o *role-playing* fora da abordagem, por alguns motivos. Em primeiro lugar, observamos que a origem do método não é mencionada. Em segundo, não constatamos a existência das etapas de uma sessão psicodramática. Em geral, a dramatização ocorre sem um aquecimento devido e não há o momento do compartilhar. Em terceiro, a preocupação está voltada apenas para o aprendizado técnico dentro do papel profissional em busca de correções necessárias. Em quarto, trabalha-se somente a realidade real, ignorando as realidades simbólica e imaginária. Em quinto, não se trabalha a espontaneidade-criatividade do aluno em seu papel em desenvolvimento. Em sexto, não se estimulam a investigação e o desenvolvimento das relações – do fator tele – entre os envolvidos na situação trazida. E, em sétimo, não ocorre a incorporação de conteúdos pessoais à situação nova vivida.

Partindo dessas observações, diante de trabalhos realizados por não psicodramatistas em contextos escolares e organizacionais, podemos dizer que o termo *role-playing* é usado erroneamente em muitos casos. O termo mais adequado seria *role-training*, por se tratar de treinamento. O "jogo", como é compreendido e proposto pela metodologia psicodramática, não ocorre.

Para ilustrar a diferença entre *role-training* e *role-playing*, apresentarei duas situações que vivenciei ao longo de minha formação acadêmica, e uma terceira como docente em um curso de capacitação em psicodrama.

Exemplo 1
Ao final de um curso de formação, precisamos realizar alguns atendimentos criados pelo supervisor com atores contratados. Estes traziam o personagem pronto e

as questões a ser levadas para a sessão dramatizada. Cada aluno teve a oportunidade de fazer um atendimento fictício com esse ator na presença do supervisor. Este acompanhava as falas e os gestos dos alunos que atuavam, fazendo correções relativas a posturas, aplicação de técnicas e exercícios sugeridos para o paciente e realizando ajustes durante a dramatização. As interrupções aconteciam sempre que necessário. Quem aguardava sua vez na sala de espera vivenciava um campo tenso acompanhado de risos e tentativas de distração por meio de conversas. Terminada a sessão, o aluno se retirava da sala com os apontamentos do supervisor e não podia retornar para o grupo, a fim de que não contasse aos demais o que acontecia lá dentro. Lembro-me apenas do desafio de encarar um ator, da tensão de estar sendo avaliada pelo supervisor, de uma observação feita por ele sobre minha *performance*. Foi uma experiência pontual e bem tensa.

Exemplo 2

Em outro curso de formação, percebi que usavam o *role-play*, como assim o denominavam, com certa frequência; sugeria-se ao terapeuta que tal recurso fosse utilizado com pacientes ao trabalhar seus enfrentamentos diante de situações difíceis na vida. Aguardei ansiosa para ver como usavam esse método e me frustrei. A professora, no meio da aula, sugeriu a aplicação da técnica do *role-play* para demonstrar como se poderia trabalhar um caso específico levado por uma aluna. Pediu, então, que a aluna fosse até ela e se sentasse na cadeira que estava a seu lado. Pediu que a aluna fosse a paciente relatada e iniciou-se uma sessão à qual foi levada uma questão a ser trabalhada. A professora começou a fazer perguntas para a paciente e esta respondia. A dramatização durou cerca de três minutos. O intuito da professora era demonstrar como usar a técnica e apresentar uma possibilidade de condução do caso abordado. Terminada a representação, a aluna voltou para seu assento e continuamos a aula. Não me lembro do que foi trabalhado na cena, apenas da excitação dos meus colegas ao ver a aplicação daquela técnica teatral, fazendo comentários sobre como era difícil reproduzi-la em sua prática clínica.

Exemplo 3

Durante uma aula de Fundamentos do Psicodrama em um curso de capacitação, escolhi o *role-playing* para que os alunos vivenciassem um atendimento com psicodrama, fazendo uso das técnicas básicas. Minha ideia era oferecer a eles, dentro de subgrupos, um momento para o diálogo, que os ajudasse a relembrar o conteúdo dado no módulo, identificasse suas dúvidas e os levasse a aprofundar o conhecimento – e também a perceber a possibilidade da utilização da abordagem, suas competências no manejo das ferramentas e a possibilidade de levar para fora do espaço acadêmico o que haviam aprendido.

Em um primeiro momento, dividi o grupo de 25 alunos em subgrupos de cinco e lhes dei um tempo para escolherem um caso real ou fictício, dentro de sua realidade de campo de trabalho, para dramatizar, fazendo uso da teoria e da prática psicodramática. Feito isso, cada grupo realizou a dramatização de um atendimento. Foram trazidos atendimentos de família, casal e individual. Os participantes de cada subgrupo se dividiram entre papéis de pacientes e de psicoterapeutas, e os colegas dos outros subgrupos assistiram. Durante as dramatizações, foram realizadas técnicas básicas como espelho, inversão de papéis, duplo e solilóquio.

Ao final das apresentações, trabalhamos as cenas trazidas, tiramos dúvidas, comentamos as emoções e os bloqueios pessoais e do grupo. Os alunos falaram também sobre suas fantasias acerca do atendimento com psicodrama, das cenas temidas, e criaram estratégias para se sentir mais seguros nos atendimentos. Compartilhamos como cada um tinha se sentido ao realizar aquele trabalho. Cuidamos do tempo para evitar a aceleração nas etapas e também para que não ocorresse um desaquecimento ao longo das dramatizações dos subgrupos. Observei que, embora as aulas estivessem ocorrendo em um ambiente virtual devido à pandemia, foi possível integrar os alunos e enfrentar desafios pessoais e grupais. O clima entre os estudantes sempre foi de muito respeito, colaboração, encorajamento e apoio emocional. Ao longo do processo, consegui ter uma dimensão do aprendizado deles e, assim, sanar dúvidas e reforçar alguns conceitos e técnicas.

Nos dois primeiros exemplos observamos:
1. A proposta do uso do método visa ao ensino-aprendizagem do aluno partindo de um modelo específico esperado que deve ser reproduzido.
2. Não há preocupação com a espontaneidade do aluno nem com a construção do novo papel deste.
3. Não são levadas em consideração as características pessoais do aluno ou a integração destas à nova aprendizagem.
4. O grupo não participa de forma ativa do processo de construção do conhecimento, portanto não ocorre a coconstrução do aprendizado.
5. A relação entre supervisor/professor e supervisor/aluno é vertical, não havendo a valorização das experiências prévias deste último.
6. Não são trabalhados nem levados em consideração sentimentos, expectativas e sensações, como também situações temidas, sonhos, ideias e projetos imaginados. Somente a realidade real é vivenciada. As realidades simbólica e imaginária são suprimidas.
7. O supervisionando/aluno não experimenta o lugar do outro nem tem a oportunidade de se perceber dentro do papel.

No terceiro exemplo observamos:

1. As etapas, os contextos e os instrumentos da sessão psicodramática foram utilizados.
2. O método sociopsicodramático facilitou a incorporação do conhecimento, a integração do grupo, respeitou as características individuais dos participantes e estimulou o desenvolvimento da espontaneidade-criatividade.
3. Promoveu-se a fixação dos conteúdos e a exemplificação da teoria.
4. Os alunos puderam experimentar o uso de recursos novos em um ambiente seguro e acolhedor, com suporte afetivo.
5. O método favoreceu a melhor avaliação do aprendizado e o manejo do grupo como unidade.
6. O grupo foi capaz de coconstruir o conhecimento por meio da colaboração, sanando dúvidas e se apoiando para a resolução do problema colocado.
7. Os alunos tiveram a oportunidade de dramatizar situações antigas vividas no ambiente de trabalho sob uma nova perspectiva.
8. Os alunos puderam treinar o uso do método aprendido em situações fictícias.

Considerações finais

Precisamos enfrentar a tendência à acomodação em conservas culturais, que inevitavelmente estarão presentes na vida. Somos seres com potencial criativo, com centelhas divinas e com aptidão para a criação.

A sociedade saudável e ideal é aquela cujos membros podem criar constantemente e cujas crianças são estimuladas desde cedo a desenvolver a espontaneidade--criatividade com seus pares em um ambiente seguro.

Um ensino que atenda a esse propósito deve estimular dramatizações, jogos, o desempenho de diferentes papéis, a expressão das fantasias, a identificação das emoções e a experimentação de várias formas de ser e estar na vida, ajudando o sujeito a fazer escolhas adequadas ao mesmo tempo que cria a própria realidade, como propõe o psicodrama pedagógico.

A espontaneidade-criatividade, o fator tele e as relações afetivas dão ao sujeito condições de se desenvolver, aprender e ser – com capacidade de discriminar o que é bom para si mesmo e para o outro e escolhendo a melhor postura a ser tomada a cada instante. Nessas bases, conseguimos coconstruir uma sociedade empática, ética e responsável, pronta para solucionar qualquer tipo de problema que venha a surgir. Somente assim a humanidade será capaz de se reinventar e de solucionar questões do micro e do macrossistema que exigem mudanças de postura e de hábitos arraigados a velhos padrões, reproduzidos inconscientemente por gerações. Precisamos despertar, acionar o criador que habita em cada um de nós, fazer uma revolução criativa e romper sistemas conservados que robotizam a todos nós.

Referências

Barberá, E. L.; Knappe P. P. *A escultura na psicoterapia – Psicodrama e outras técnicas de ação*. São Paulo: Ágora, 1999.

Datner, Y. *Jogos para educação empresarial – Jogos, jogos dramáticos,* role-playing, *jogos de empresa*. São Paulo: Ágora, 2006.

Hannes, K.; Fürst, J. Psicodrama na supervisão em formação: impacto na aplicação de intervenções verbais e dramatização na aprendizagem. *Revista Brasileira de Psicodrama*, São Paulo, v. 1, n. 2, 2013, p. 117-30.

Kaufman, A. *Teatro pedagógico – Bastidores da iniciação médica*. São Paulo: Ágora, 1992.

_____. *"Role-playing"*. In: Monteiro, R. (org.). *Técnicas fundamentais do psicodrama*. 4. ed. rev. São Paulo: Ágora, 2021, p. 182-94.

Moreno, J. L. *Psicodrama*. 12. ed. São Paulo: Cultrix, 1997.

_____. *Quem sobreviverá? Fundamentos da sociometria, da psicoterapia de grupo e do sociodrama*. São Paulo: Daimon, 2008.

Pontes, R. L. *A relação educador-educando – Um projeto psicodramático baseado em Morin e Moreno*. São Paulo: Ágora, 2018.

Romaña, M. A. *Psicodrama pedagógico – Método educacional psicodramático*. 2. ed. Campinas: Papirus, 1987.

_____. *Construção coletiva do conhecimento através do psicodrama*. Campinas: Papirus, 1992.

_____. *Pedagogia psicodramática e educação consciente – Mapa de um acionar educativo*. Campo Grande: Entre Nós, 2019.

12. O SOCIODRAMA COMO FACILITADOR DO DESENVOLVIMENTO DO PAPEL PROFISSIONAL

Neide Feijó
Lúcio G. Ferracini
Sara de Sousa

Introdução

Nas últimas décadas, no ensino superior se valorizam, pelo menos nos documentos escritos e nos discursos acadêmicos, as metodologias ativas de ensino-aprendizagem. No entanto, na prática ainda se vivencia muito do modelo tradicional de ensino, na qual o professor é autoridade e "deposita" o conhecimento nos estudantes, que passivamente recorrem aos métodos de memorização, com pouca reflexão crítica. Muitas podem ser as explicações, entre elas a escassa preparação dos professores em metodologias pedagógicas mais ativas e centradas nos alunos.

A fim de contribuir com a apresentação de uma metodologia que privilegie a participação do estudante em seu processo de formação, ao mesmo tempo que contribui para a emancipação dos sujeitos, recorremos ao sociodrama. Embora pouco aplicado nessa área, tem-se mostrado bastante apropriado como estratégia pedagógica problematizadora e participativa.

Assim, iniciaremos apresentando conceitos teóricos que fundamentam o sociodrama no âmbito da pedagogia psicodramática, dando ênfase à teoria de papéis, para, no final, relatarmos três experiências que ilustram a utilização do método na formação do enfermeiro, do psicólogo e do terapeuta ocupacional.

O sociodrama no âmbito da pedagogia psicodramática

A principal estudiosa do psicodrama pedagógico, no qual se insere o sociodrama aplicado à educação, foi Maria Alicia Romaña, cujas contribuições teóricas darão os principais fundamentos para os conceitos aqui abordados. A autora desenvolveu seus estudos na Argentina e no Brasil, iniciando na década de 1960 com a proposta que denominava "métodos psicodramáticos aplicados à educação"; na década de 1970, passou a chamá-la de "psicodrama pedagógico" e, por último, em 1995, publicou a obra *Pedagogia do drama*. Sem desviar das teorias morenianas, foi beber de outras fontes, como Vigotski, destacando a teoria sócio-histórica do desenvolvimento e a visão do homem como mediador de cultura; de Paulo Freire, valorizou o princípio da autonomia, da ética pedagógica e a visão do ser humano como ser que pensa e age (Romaña, 2004).

O sociodrama carrega princípios bastante vincados e já teorizados suficientemente para tecermos algumas considerações que darão sentido a seu desenvolvimento como metodologia pedagógica.

Iniciaremos com a visão de ser humano. Na perspectiva da teoria moreniana, de onde emerge o sociodrama, homens e mulheres têm uma capacidade natural de criar e fecundar – e, assim, adaptar-se, resolver problemas, transformar suas condições. Nesse aspecto se declaram duas de suas principais máximas, a espontaneidade e a criatividade, cujo desenvolvimento será muito importante também para realizar uma aprendizagem que permita aos envolvidos encontrar sua essência de seres criadores (Bustos, 1982). O desenvolvimento desse potencial permite ao indivíduo dar respostas adequadas às situações vivenciadas em sua realidade dinâmica.

Segundo esse paradigma, estamos no mundo em constante relação com os demais, e a observação dessas relações define as dimensões apontadas por Schützenberger (*apud* Fonseca Filho, 2008):

a) o conjunto de papéis que o indivíduo representa na vida;
b) a rede de interações de todas as pessoas com as quais tem relação;
c) seu "átomo social" (seu mundo afetivo); e
d) seu "*status* sociométrico", ou seja, sua "cota de amor" nos grupos a que pertence.

Assim, o autor valoriza o *encontro* entre os atores como condição para um processo pedagógico que se contrapõe à rigidez técnica (coisificação metodológica).

Os pressupostos que dão base à teoria sociodramática moreniana incluem essa visão do homem como ser em interação no desempenho de seus papéis sociais, sendo esse aspecto fulcral para o desenvolvimento de sua personalidade (Pontes, 2006).

O homem é visto como ser cósmico, o que ultrapassa a visão mais comum e atual de ser humano biopsicossocial e cultural e inclui a compreensão de cocriador e corresponsável pelo meio em que está inserido (Moreno, 2006). Portanto, o homem é um ser em relação, com potencial criativo e espontâneo, cocriador e corresponsável pelo mundo que habita, atuando no aqui e agora, isto é, em uma concepção de momento.

No âmbito da educação, para além da visão de homem é importante apresentar a visão de sociedade, que já é inerente à ideia do ser em relação, ao desempenhar seus papéis sociais. Moreno apresentou o conceito de *conserva cultural*, próprio de nossas sociedades, isto é, conceitos, normas, comportamentos e condutas que vão se cristalizando, pois o indivíduo, por medo do novo, vai aceitando os limites e ditames sociais que desumanizam as relações interpessoais (Colombo, 2012). Com o desenvolvimento da consciencialização, criatividade, espontaneidade e ação, o ser humano pode transformar as conservas sociais. Esse, do nosso ponto de vista, deveria ser o foco do processo de ensino-aprendizagem.

Por exemplo, no sistema educacional verificamos o predomínio do "nominalismo" (cada coisa com seu nome encaixada em seu lugar, definições, burocracia) e do "quantificismo" (quantidade, valores, avaliações estatísticas), conservas próprias do século XX que ainda não foram superadas (Romaña, 2012). Romaña apresenta a pedagogia psicodramática e suas ferramentas apropriadas para transformar o que chama de "sociedade de controle" e as respectivas conservas culturais.

Como dissemos, Maria Alicia foi a principal teórica da pedagogia psicodramática, aproximando-se muito das ideias de Paulo Freire (1921-1997), sobretudo no que se refere ao complexo pedagógico biopolítico, à valorização da componente de historicidade e ao desejo de fortalecer os seres humanos para transformar a realidade. Parte da crítica ao modelo pedagógico da época (que ainda persiste) questiona o papel complementar dos alunos, submissos, passivos, entre outras características consideradas frustrantes (Bustos, 1982).

Assim, a aplicação do sociodrama no processo de ensino-aprendizagem propõe a análise dos papéis desenvolvidos pelas pessoas na sociedade por meio de técnicas didáticas que envolvem o corpo e a mente, isto é, ações e palavras, possibilitando vivências criativas, modificação de comportamentos e a evolução de papéis mais emancipatórios.

Nesse sentido, por meio do exercício de papéis na ação dramática é possível integrar sentimentos, emoções, pensamentos e ações, todos elementos indispensáveis para uma aprendizagem transformadora (Romaña, 2012). A propósito dessa metodologia, tão única como eficaz, Sternberg e Garcia (2000) reforçam o poder do sociodrama de proporcionar uma aprendizagem tanto vivencial como cognitiva, facilmente adaptável a variados contextos de ensino: "Uma das belezas do sociodrama é que, em vez de ouvirem uma palestra sobre o que é certo ou errado, os participantes podem encontrar as respostas certas para si, na sua fase específica de desenvolvimento" (p. 156).

Para o desenvolvimento do processo de ensino-aprendizagem por meio do sociodrama, utilizam-se seus cinco elementos clássicos: protagonista, audiência, diretor, ego auxiliar e cenário. O papel de diretor será do professor, que deverá aquecer a audiência (estudantes), detectar o protagonista (o próprio grupo ou elementos do grupo de alunos) e organizar a sequência da sessão pedagógica, percebendo os possíveis papéis a ser representados. Nesse processo, o professor tem a principal responsabilidade de proporcionar o clima emocional e social para que ocorra a relação dialógica, do tipo eu-tu, o encontro, que prevê a inclusão dos envolvidos (Fonseca Filho, 2008; Bustos, 1982).

Dessa forma se desenvolvem as etapas do sociodrama: aquecimento, dramatização, partilha e, em situações de aprendizagem, processamento teórico. Mais importante que os aspectos práticos do processo será compreender e fundamentar toda a experiência pedagógica nos conceitos morenianos, como matriz de identidade, *modus nascendi*, teoria dos papéis, conserva cultural, teoria da espontaneidade-criatividade, tele, aqui e agora e elementos da sociometria (Romaña, 2012).

Romaña (2004) descreve o processo sociodramático aplicado ao ensino-aprendizagem com os seguintes momentos: contextualização do conhecimento, atividades de aquecimento na direção do "saber pretendido", dramatização do assunto (teatro espontâneo, jornal vivo, vivência sociodramática, entre outros) e inserção dos participantes – ressonância dramática e comentários e reflexões.

A dramatização se mostra um importante recurso didático, proporcionando uma experiência ativa ao aprendiz, que aprende em grupo e por meio da relação com objetos, situações ou conceitos concretos de sua realidade. Ao dramatizar, o estudante consegue perceber seu conhecimento prévio e sua potencialidade para as novas aprendizagens. Sendo a ação uma das principais características do sociodrama, facilita a integração de ideias e imagens com uma diversidade de atividades e associações com o espaço e o tempo (Romaña, 1987). A autora relatou a utilização de diversas técnicas psicodramáticas no desenvolvimento de sua experiência pedagógica, como a inversão de papéis, o solilóquio e a interpolação de resistência (Romaña, 1987).

Em sua proposta, o processo educacional é permeado por pressupostos básicos, a saber: incorporação da experiência de vida dos aprendizes ao processo de aprendizagem, subordinação do conhecimento curricular a essa experiência, aprendizagem pela ação e aquisição de instrumentos de uso cotidiano com base em um processo democrático e participativo (Romaña, 2004).

Romaña (1987) verificou que o método é essencialmente adequado quando se objetiva fixar e exemplificar conhecimentos, encontrar soluções alternativas aos problemas disciplinares, desenvolver os papéis sociais, prevenir situações ansiogênicas, sensibilizar, promover mudanças de comportamento, avaliar – enfim, promover o desenvolvimento e a estruturação de papéis para facilitar o fluxo da espontaneidade.

Nas obras de Romaña estão descritas, relatadas e exemplificadas as situações pedagógicas que ela mesma experienciou, o que nos leva a compreender que é possível desenvolver os conteúdos programáticos planejados no ensino formal sem descuidar dos objetivos subjacentes de quem tem um compromisso com a autonomia e a emancipação dos estudantes, como o desenvolvimento da consciência crítica e reflexiva (Romaña, 2004).

Com o desenvolvimento do sociodrama na educação, no âmbito da pedagogia psicodramática, é possível conciliar a transmissão de conhecimentos e a compreensão do mundo considerando a realidade imediata, concreta e complexa. Nessa aprendizagem, a compreensão crítica promove a ação e a transformação. Pode-se considerar, portanto, um caminho pedagógico integrador e socializador do indivíduo em seu grupo e em seu ambiente (Romaña, 1987).

Como método de ação e relação, a proposta é promover uma didática participativa, afetivo-cognitiva, criando um espaço fértil para a espontaneidade não só dos estudantes, mas também do professor. Os saberes desenvolvidos, as atividades propostas e especialmente o próprio trabalho ganham sentido, condição essencial para a satisfação profissional (Romaña, 2004).

Ramos (2008) corrobora essas afirmações e demonstra as vantagens do sociodrama como metodologia pedagógica, destacando a participação efetiva dos sujeitos em seu processo de aprendizagem, na busca de sua autonomia, na análise de suas ações e relações grupais, na conquista de papéis sociais – enfim, no desenvolvimento e potencialização do ser humano.

Para Nery e Marra (2010), no sociodrama o tema trabalhado com o grupo é de interesse dos estudantes, que são participantes ativos e podem expressar seus sentimentos, crenças e desejos subjetivos. Por se caracterizar como prática dialógica e democrática, o sociodrama faz emergir as questões e os conflitos do grupo e também suas próprias soluções – e, consequentemente, o reconhecimento das potencialidades grupais. Os estudantes vivenciam maior abertura e motivação para a transformação no sentido daquilo que o grupo deseja ou necessita e, finalmente, se promove a satisfação dos envolvidos.

Teoria de papéis

Para dar maior sentido à utilização do sociodrama como facilitador do desenvolvimento do papel profissional, consideramos importante apresentar a contribuição da teoria de papéis do ponto de vista do paradigma moreniano. O estudo de papéis não pode ser realizado por meio de uma visão do indivíduo isolado; precisa ser estudado considerando as relações interpessoais estabelecidas pelos indivíduos em seu meio, na direção do que já foi exposto anteriormente.

Na construção da teoria psicodramática, o papel é apresentado como unidade cultural da conduta; envolve os padrões sociais para a vida em relação, para a satisfação das funções fisiológicas e do mundo da fantasia. Assim, os papéis são definidos como sociais, psicossomáticos e psicodramáticos. Os papéis originários (filho, mãe e pai) desenvolvem-se no "átomo cultural originário" – família – por meio de atitudes básicas. Aí ficam estabelecidas as normas de conduta e de personalidade individual. Os primeiros vínculos afetivos se dão na matriz familiar (Menegazzo *et al.*, 1995).

Reforçando a ideia de que o estudo de papéis não pode ser feito retirando o indivíduo de suas relações, Fonseca Filho (2008) explica o papel como uma experiência interpessoal entre dois ou mais indivíduos que trocam respostas entre si; não existe papel sem contrapapel. O mesmo autor esclarece que "[...] os papéis são prolongamentos do Eu, pelos quais entram em relação com os papéis (complementares) de outra pessoa, dando origem ao vínculo. Os papéis bem desenvolvidos sempre ultrapassam os limites do si mesmo" (p. 92).

Alguns autores reforçam a importância do outro no desempenho dos papéis, isto é, a necessidade do contrapapel ou de um papel complementar, os quais são coexistentes, coatuantes e codependentes. Sem o outro não haverá troca, atuação e vínculo (Fonseca Filho, 2008; Romano, 2011).

O papel assumido pela pessoa é verificado em ação e inter-relação, por isso Romano (2011, p. 125, citando Gonçalves, 1988) esclarece: "O papel é a forma de funcionamento que o indivíduo assume no momento específico em que reage a uma situação específica, na qual outras pessoas ou objetos estão envolvidos". Fica evidente a importância dos papéis no estudo das relações, inclusive profissionais, portanto, do outro e dos outros no entendimento dos vínculos que são desenvolvidos.

Como os papéis são desenvolvidos em uma relação interpessoal, e sabendo que a vida em sociedade é permeada por regras sociais, fica implícito que o desempenho dos papéis também atende a um conjunto de regras para sua aprendizagem e execução, assim como a existência de um papel complementar (Fonseca Filho, 2008). O papel profissional é um dos que mais recebem determinação e regulamentação social, e para a aprendizagem de algumas profissões a existência do outro no contrapapel é condição imperiosa para que ocorra o desenvolvimento do papel profissional de modo adequado.

Concordando com o princípio de que os papéis são desenvolvidos no meio social, Pio Abreu (2006, p. 54) refere que, "na aprendizagem e desenvolvimento dos papéis, o indivíduo começa por treiná-los, para depois os assumir de uma forma sancionável pela sociedade". O mesmo autor explica que, "nas sociedades organizadas e hierarquizadas, esta oferta tem que ver com o estatuto, ou seja, a posição social em que o indivíduo nasce[...]" (p. 54). O papel profissional é um exemplo paradigmático dessas afirmações.

Para esse autor, o desempenho do papel é enfatizado por seus símbolos formais, e a comunidade espera do sujeito determinado número de comportamentos e atitudes a que ele mesmo tenta corresponder, reconhecendo-os como seus. No entanto, depois que o papel é assumido, o indivíduo pode recriá-lo por meio da espontaneidade e da originalidade (Pio Abreu, 2006).

Esses conceitos são importantes para orientar a prática pedagógica de quem pretende formar profissionais autônomos, capazes de atualizar os papéis de acordo com as necessidades sociais e pessoais. Para o funcionamento da sociedade, é oferecida uma diversidade de papéis que vão sendo assumidos pelos diferentes indivíduos e podem corresponder a funções no seio da família ou na área do trabalho (Pio Abreu, 2006).

Na formação superior, nomeadamente de profissionais da saúde, é evidente a importância de entender os papéis em um contexto relacional, sendo imprescindível a existência do contrapapel e a influência do contexto social na produção e reprodução de papéis. Esse entendimento levará ao maior respeito pelo outro (paciente, usuário, cliente, pessoa).

Um papel também pode ser considerado uma conserva cultural, que é passível de ser recriado pela espontaneidade e criatividade do sujeito, conforme define o *Dicionário de psicodrama* (Menegazzo *et al.*, 1995, p. 62): "Um papel é uma conserva cultural até o momento em que um indivíduo dele se apropria e o desenvolve segundo seu processo espontâneo-criador particular".

Buscando aprofundar-se um pouco mais na teoria dos papéis, Pio Abreu (2006, p. 62) pontua que "[...] a personalidade contacta [...] com o exterior através dos papéis desenvolvidos para além da barreira do 'si-mesmo'. Mas esta barreira é extensível consoante a tensão do campo determinada pelo estado de necessidade do indivíduo".

Segundo esse autor, é importante percebermos que as situações vivenciadas no dia a dia alteram essa barreira e, consequentemente, o desempenho dos papéis. Em situações de ameaça, desespero ou estresse, a tendência é a de inibição da maior parte dos papéis. Nesses casos, ficam em evidência somente os papéis mais desenvolvidos. Mais uma vez se verifica a influência do meio no desempenho dos papéis. O contrário também acontece, isto é, em ambiente relaxado, as defesas individuais diminuem e deixam em evidência papéis menos desenvolvidos, permitindo uma relação mais íntima e autêntica com o outro (Pio Abreu, 2006). Os educadores devem considerar essas informações para proporcionar um ambiente mais tranquilo na perspectiva de uma aprendizagem eficaz.

No contexto social, verificam-se formas diversificadas no desempenho dos papéis: um papel "novo" pode ser menos espontâneo; o desempenho de papéis que não se harmonizam pode se apresentar de modo estereotipado. Nessas situações, o indivíduo experimenta sentimento de menor prazer pessoal em seu desempenho (Pio Abreu, 2006).

A situação de "estereotipia" nas relações sociais, nas quais há pobreza de espontaneidade e criatividade no desenvolvimento dos papéis, por vezes leva o indivíduo a situações de sofrimento (Zedron e Seminotti, 2011). Esse tipo de sentimento – carregado de estresse, medo, insegurança ou ansiedade – é muitas vezes verificado em estudantes nos primeiros estágios, quando realizam tarefas e intervenções pela primeira vez no contexto real.

A apresentação do conceito de papel visou ressaltar a importância de utilizar um método pedagógico para o desenvolvimento do papel profissional, que considere a relação com os outros (contrapapel), a capacidade criativa e a espontaneidade dos sujeitos, possibilitando interação, exposição de questões subjetivas e próprias de cada um em seu meio, além de buscar a transformação no processo de ensino e aprendizagem e dar respostas mais adequadas às necessidades vivenciadas.

Isso posto, apresentaremos alguns exemplos da utilização do sociodrama na formação de enfermeiros, psicólogos e terapeutas ocupacionais.

O sociodrama na formação do enfermeiro

Em nossa experiência como docentes de um curso de graduação em Enfermagem, em diferentes momentos da formação do enfermeiro o uso do sociodrama como metodologia ativa de ensino-aprendizagem tem sido fundamental, sobretudo no desenvolvimento de atitudes adequadas, competências relacionais, na tomada de decisões em situações complexas e no treino de habilidades de intervenção específica, entre outras. Da mesma maneira, o sociodrama tem sido utilizado para resolver questões relacionadas com a experiência do estágio em contexto clínico, nomeadamente sentimentos de ansiedade, insegurança e medo.

Assim, temos proposto e utilizado o sociodrama no desenvolvimento da competência em comunicação interpessoal com pessoas "difíceis" (irritadas, deprimidas, hostis); na comunicação de más notícias; diante de pessoas com dor que recusam tratamento, entre outras situações específicas e comuns na prática do profissional da saúde. Também em situações que envolvem a tomada de decisões e em conflitos éticos e relacionais, vivenciados em estágios curriculares no contexto da realidade profissional e apresentadas pelos estudantes. Nesses aspectos, o sociodrama também se mostra de grande utilidade.

Nas diferentes unidades curriculares é possível trabalhar os temas propostos pelo docente ou apresentados pelos estudantes por meio das fases e técnicas do sociodrama. Visualizamos as vantagens do método em todas as fases de seu desenvolvimento. Assim, vamos descrever sumariamente uma sessão de sociodrama realizada com um grupo de 15 estudantes do segundo ano de Enfermagem, na unidade curricular de Educação para a Saúde.

No *aquecimento*, até a escolha democrática e participativa do tema, observamos o respeito pelo conhecimento prévio dos estudantes, por suas necessidades mais emergentes, assim como as soluções para seus problemas, que são igualmente resultantes do próprio grupo. Na sessão descrita, durante o aquecimento, solicitamos aos estudantes que caminhassem livremente e fomos conduzindo a reflexão sobre as experiências de aprendizagem ao longo do ciclo de vida. Quando encontrassem um fato importante por alguma razão, deveriam parar de caminhar. Ao final desse exercício, o diretor/professor perguntou se algum estudante gostaria de relatar o fato importante relacionado com a aprendizagem.

As histórias foram contadas por dois estudantes: a primeira, cheia de emoção, relatou que a avó, que fora muito importante na transmissão de valores desde sua primeira infância, falecera fazia menos de um ano. Uma segunda história era relativa a um professor que humilhava e menosprezava o estudante com atitudes e palavras quando este tinha cerca de 7 anos; o professor procurava o erro e não o êxito e provocava o medo. O estudante informou que experimenta na atualidade um sentimento de medo semelhante ao da infância quando tem de fazer uma comunicação ou ensinamento ao paciente; refere que se sente bloqueado, não sabe o que dizer, tem medo de errar. O grupo de estudantes escolheu a segunda história como tema protagônico para a dramatização.

A fase da *dramatização* permitiu que o estudante experimentasse diferentes formas de atuar e de dar respostas diante de suas dificuldades em um ambiente protegido. As técnicas de espelho, duplo e troca de papéis (estudante de Enfermagem/paciente; educador em saúde/usuário) foram evidentemente proveitosas, pois promoveram o reconhecimento das atitudes e formas mais adequadas de comunicar; permitiram a maior percepção das necessidades do(s) outro(s), das próprias capacidades do estudante e a flexibilidade ao decidir considerando a dinâmica da vida profissional em ação, embora em ambiente protegido.

Na fase final, de *compartilhamento* e teorização, validou-se a aprendizagem teórica, técnico-científica, sem descuidar da componente emocional, tão importante na fixação da aprendizagem para toda a plateia (estudantes).

O sociodrama na formação do psicólogo

Segundo Ferracini (2015), a formação em Psicologia caracteriza-se como a profissão do cuidado que se dá na intersubjetividade presente nas relações humanas, não excluindo o vínculo entre paciente e psicólogo. Tal relação se dá permeada por crenças, valores, visão de mundo, de si mesmo e do outro, expectativas e medos de ambos os lados, expressos de forma simultânea.

Apenas para fins didáticos será feito um corte ilusório, olhando momentaneamente para um lado da relação: o estudante de Psicologia de último ano, em suas primeiras experiências em atendimentos interventivos (não apenas observatórios) em campos de estágio na área da saúde. Assim, passamos a descrever a sessão de sociodrama escolhida.

O cenário é um espaço virtual de supervisão de estágio psicossocial em saúde de um grupo de 13 estudantes de Psicologia e um supervisor. Consideramos o pressuposto teórico psicodramático de que o grupo é constituído por todos os seus integrantes, independentemente dos papéis desempenhados, seja discente ou docente.

A cena presente se deu com estudantes que estão na fase final de graduação, desenvolvendo as competências e habilidades necessárias para o desempenho acadêmico-profissional, permeados por ansiedades e idealizações. Tal sobrecarga era acrescida da situação pandêmica (Covid-19); eles haviam realizado a formação no ambiente presencial por três anos. Com a pandemia, aqueles que resolveram continuar o curso migraram para a modalidade remota, o que trouxe nova complexidade com as adaptações ocasionadas pela necessidade urgente de alternativas com o uso de plataformas digitais, o que possibilitou a manutenção do curso.

Entretanto, tratava-se de uma modalidade a distância, com restrições de alcance, como falhas de conexão e ambientes externos nem sempre favoráveis à discussão de casos. Entre as diversas situações trazidas para supervisão, apareceu, de forma protagônica, a vivência do papel de psicólogo em formação, seja no atendimento ao paciente ou na impossibilidade de ir para o campo de estágio, demonstrando por vezes angústia, sofrimento e insegurança em atuar no papel de psicólogo no cenário da prática, em contato com pacientes, familiares e equipe profissional. Identificada a possível cena, que foi denominada Cuidando de Quem Cuida, o supervisor, que passo a chamar pela nomenclatura psicodramática – *diretor* –, propôs o trabalho que será apresentado a seguir, destacando relatos representativos em categorias com base na análise de conteúdo (Franco, 2012), o que foi aceito e aprovado pelos estudantes, a *plateia* (Malaquias, 2012).

Dentro das possibilidades metodológicas do psicodrama a ser utilizado, escolheu-se o sociodrama de formato temático, visando à articulação ativa do grupo e ao desenvolvimento de ações espontâneo-criativas por meio da construção coletiva do conhecimento (Nery, 2012).

A fim de fazer uso da dramatização como recurso de expressão de sentimentos e reflexão de pensamentos, o que integra fala e ação, o diretor iniciou com o processo de aquecimento, dividindo o grupo em trios, em pequenas salas virtuais, para que os participantes partilhassem a vivência como estagiários de Psicologia. Depois de 30 minutos, todos voltaram para a sala principal e, com base nas ressonâncias da fase anterior, solicitou-se que cada um encontrasse uma palavra, um sentimento que representasse a sua relação com o papel de estagiário. Surgiram as seguintes palavras: frustração, feliz, oportunidade, descoberta, planejamento, conhecimento, *show*, OK, quebra de expectativas, desafio, esperança, descobertas e novidades.

O diretor avançou para a fase da construção de personagem, por meio do aquecimento específico, e solicitou que, mais do que encontrar a palavra, eles se tornassem a palavra escolhida (técnica da concretização). Os personagens foram entrevistados e dialogaram entre si. Sumariamente, podemos referir que foi um diálogo muito rico, no qual se identificaram duas categorias de análise relativas às aprendizagens, que serão apresentadas a seguir acompanhadas de comentários dos próprios estudantes:

Aprendendo com a frustração

Uma das possibilidades de realização do estágio em saúde ocorre em hospitais parceiros, mas não somente aí. Entre as dificuldades para a obtenção de estágios naquele momento estavam a redução de vagas para estudantes nas enfermarias em virtude da pandemia e a restrição de horários por alunos que trabalham. Nesses casos, buscam-se alternativas que permitam ao estudante o contato com a experiência da prática em saúde.

Ter grandes expectativas de estar em campo e não ter essa possibilidade. Apesar de tudo, a Frustração não é o único sentimento que está presente para G. Semana passada, G. teve a oportunidade de entrevistar um profissional, então foi bem enriquecedor para ele (estagiário G. no personagem Frustração). "Eu, Oportunidade, estou aqui com a T. esta semana e ela está aproveitando muito do que tem sido trazido para ela. T. entrou no estágio com muitas expectativas de clinicar e se sentiu frustrada durante o caminho, mas viu as outras possibilidades como oportunidades de ter outro tipo de conhecimento" (estagiária T. na personagem Oportunidade).

Assim a Frustração se manifestou em relação a V.: "O que era esperado pela V. era a área hospitalar. Mas o campo de estágio acabou não dando certo e entrou uma outra palavra, que é Adaptação a diferentes situações e cenários, o que está sendo bom e enriquecedor" (estagiária V. na personagem Adaptação).

Lidar com a frustração significa ter uma expectativa que não se realizou, seja porque o planejado/idealizado não ocorreu, seja em virtude de situações de incerteza nas quais nosso controle é insuficiente (Morin, 2011). Por meio da vivência em grupo, em um clima de acolhimento e pertencimento, foi possível criar um ambiente que fomentou a busca de respostas espontâneas e criativas, coerentes com as demandas e os momentos vividos, mostrando-se adaptativo e rico de oportunidades.

Aprendendo ao compartilhar com os colegas: um é agente terapêutico do outro

O grupo de 13 estudantes do nono semestre era composto de pessoas interessadas no estágio em saúde. Eram oriundos de outras turmas, por isso nem todos se conheciam. A supervisão acontecia semanalmente, de forma virtual. Criar um ambiente de aprendizagem em grupo e entre os participantes constituía um desafio e um objetivo mais do que necessários para a construção coletiva do conhecimento, por meio de "um equilíbrio entre os aspectos cognitivos e afetivos" (Romaña, 1992, p. 25).

Para ilustrar essas afirmações, transcrevemos o diálogo a seguir:

"A S. ficou até surpresa. Você pediu para ela falar sobre como se sentia com relação ao estágio e ela trouxe a palavra Difícil. Só que, depois da conversa com as meninas [no subgrupo], você pediu que ela colocasse um nome com o qual se identificasse com todo mundo aqui, depois da experiência que a gente teve... Foi superlegal. No fim das contas, a gente acaba vendo, é Difícil. Eu, Feliz, consigo ver um pouquinho de cada coisa que cada um colocou em mim... Foi isso que aprendi hoje" (estagiária S. no personagem Feliz).

Em outro relato ilustrativo, no momento em que T. estava na sala com outras pessoas, teve oportunidade de conhecê-las melhor do que durante a supervisão, quando não houve tanto contato. Conheceu outras histórias e viu como é legal esse momento: "Ouvir outras pessoas e se conectar e perceber que, às vezes, o que se está sentindo a outra pessoa também está sentindo, então essa conexão pode ser vista como uma Oportunidade de crescimento e crescimento pessoal (estagiária T. na personagem Oportunidade)".

Há uma aprendizagem que ocorre na relação quando cada participante assume o papel de agente terapêutico (Moreno, 1993), possibilitando reflexão e transformação pessoal, relacional, acadêmica e profissional. Faz-se um tripé teórico, presente na supervisão: *espontaneidade-criatividade* por meio dos *papéis* existentes em um campo que envolve o fenômeno *tele*, que tem entre seus elementos constitutivos a empatia em mão dupla, a mutualidade, a sintonia, a percepção de si e do outro, a coesão e o projeto comum, como afirmam Garrido Martin (1978), Perazzo (2010) e Ferracini (2015).

O sociodrama na formação do terapeuta ocupacional

O domínio da terapia ocupacional está relacionado com a dimensão ocupacional da vida do ser humano. O termo "ocupação" envolve ações que as pessoas desempenham para preencher os contextos onde vivem, trabalham, aprendem, exploram seu lazer, interagem com os outros e consigo mesmas, permitindo o uso significativo de seu tempo e assumindo diferentes papéis ao longo da vida. O terapeuta ocupacional assume as ocupações como de natureza multidimensional, intervindo, em sua prática clínica, em dimensões do ser humano como a capacidade de desempenho, a volição, a habituação e os ambientes (físico e social) onde as ocupações acontecem (Kielhofner, 2002).

Por meio da análise da ocupação, do desenvolvimento de competências, da redefinição dos estilos de vida e das adaptações ambientais, os terapeutas ocupacionais trabalham em colaboração com clientes e cuidadores para desenvolver o sentido de identidade, a participação, a saúde, o bem-estar e a qualidade de vida.

Ao longo de sua formação em Portugal, na Escola Superior de Saúde do Instituto Politécnico do Porto, os terapeutas ocupacionais experimentam o contexto de grupo nas diversas unidades curriculares. Assente no modelo de aprendizagem baseada em problemas (ABP), cada aluno está integrado a um grupo tutorial e a um grupo de práticas laboratoriais.

Ora, os grupos podem ser desenvolvidos com objetivos educativos, terapêuticos ou até mesmo com a combinação de ambos, mas sem dúvida o processo de grupo é privilegiado para a aquisição de aprendizagens (Torres, 2005). Na formação dos futuros terapeutas ocupacionais o sociodrama, integrado a algumas unidades curriculares, permite o treino do desempenho do papel profissional por meio da aquisição de novas percepções individuais e grupais, que ocorrem dentro e por meio da ação. Dessa forma, os estudantes são convidados a aprender e praticar, durante as dramatizações, novos comportamentos e formas de atuação, por meio da expressão profunda, integradora e libertadora da emoção no aqui e agora, para depois aplicarem esse conhecimento nos estágios e no tão esperado exercício profissional após o término da formação.

Assim, utilizamos nas aulas uma lista de estratégias realçadas por Blatner (2008) para a aprendizagem de habilidades emocionais e sociais do futuro terapeuta ocupacional, dentre as quais destacamos:

- "Treino da espontaneidade geral, de forma a ajudar os estudantes a improvisar no pensamento e no comportamento";
- "Aprendizagem da comunicação não verbal: como os estudantes podem usar o corpo, o rosto e a ação para se expressar de forma congruente e para identificar as incongruências alheias";
- "Treino da assertividade: aprendizagem das maneiras de estabelecer vínculos e obter a atenção dos clientes e de seus cuidadores de forma modulada";
- "Treino da empatia, com a utilização da inversão de papéis para a compreensão do outro";

- "Análise de papéis, com participação nas dramatizações por meio do duplo e jogos sociodramáticos para explorar os papéis complementares do terapeuta ocupacional";
- "Treino de papéis, por meio da utilização da retroalimentação, modelos e repetições com o objetivo de aprender comportamentos úteis para agir como terapeuta ocupacional";
- "Resolução de conflitos, por meio da aprendizagem de formas de obter apoio, esclarecer problemas e negociar";
- "Autoconhecimento, com utilização do solilóquio, espelho, duplo [...]".

A seguir apresentamos um exemplo relativo a uma primeira aula do primeiro ano com recurso ao sociodrama:

- *Objetivo:* potenciar o heteroconhecimento dos elementos do grupo para aumentar a coesão grupal da turma.
- *Aquecimento:* exercícios sociométricos para aumentar o heteroconhecimento dos elementos do grupo, recorrendo a espectrogramas ativos (Cossa, 2008; Sternberg e Garcia, 2000) dos nomes, idades, dias e meses de nascimento, distância que tiveram de percorrer desde seu local de origem até a escola. No final, o diretor/professor sugere um espectrograma para avaliação das expectativas perante o curso. Para a realização dos espectrogramas, solicita-se aos elementos do grupo que se coloquem no palco ao longo de uma linha contínua imaginária, baseada em um par específico de critérios opostos mais ou menos objetivos. Por exemplo, um dos extremos pode ser "a idade do mais jovem", e o outro "a idade do mais velho", ou "tenho baixas expectativas perante o curso" e "tenho altas expectativas perante o curso". É importante que cada elemento defina e ajuste sua posição ao longo do exercício, podendo mudá-la de acordo com os comentários dos outros participantes a fim de se colocar não só em conformidade com cada extremo da linha, mas também com relação aos outros.
- *Dramatização:* o diretor/professor propõe a realização de uma estátua grupal (Sternberg e Garcia, 2000) na qual o grupo represente sua relação com a terapia ocupacional e pede solilóquios a cada estudante (Cruz *et al.*, 2018). São explorados aspectos como o motivo da escolha do curso, o que mais os estimula nessa profissão, a área de atuação preferida etc.
- *Compartilhamento:* cada estudante, e por fim o diretor, partilham com a turma seus comentários finais, sendo realçada a importância da complementaridade de papéis que vão experimentar ao longo da formação e dos estágios, bem como do treino e do desenvolvimento do papel de terapeuta ocupacional que experimentarão nos próximos quatro anos.

Considerações finais

A fim de concluir este capítulo, utilizaremos algumas ideias de Romaña (2004). Para aqueles que experimentam o sociodrama como diretor, professor, terapeuta ou estudante, será difícil não valorizar a riqueza afetiva produzida nesse processo. Nele, o ser humano como um todo sai fortalecido em seus laços interpessoais e no desempenho de seus papéis sociais. Sobretudo, será difícil não se comprometer com as necessárias transformações de seu meio, cumprindo seu papel de cocriador.

REFERÊNCIAS

BLATNER, A. "'Mais que meros atores' – Aplicações do psicodrama na vida diária". In: GERSHONI, J. (org.). *Psicodrama no século 21 – Aplicações clínicas e educacionais*. São Paulo: Ágora, 2008, p. 119-31.

BUSTOS, D. *O psicodrama – Aplicações da técnica psicodramática*. São Paulo: Summus, 1982.

COLOMBO, M. Modernidade: a construção do sujeito contemporâneo e a sociedade de consumo. *Revista Brasileira de Psicodrama*, São Paulo, v. 20, n. 1, 2012, p. 25-39.

COSSA, M. "Domando a puberdade – Psicodrama, sociodrama e sociometria com grupos de adolescentes". In: GERSHONI, J. (org.). *Psicodrama no século 21 – Aplicações clínicas e educacionais*. São Paulo: Ágora, 2008, p. 149-64.

CRUZ, A. *et al.* The core techniques of Morenian psychodrama – A systematic review of literature. *Frontiers in Psychology*, v. 9, 2018, p. 1263.

FARIAS, N.; BUCHALLA, C. M. A classificação internacional de funcionalidade, incapacidade e saúde da organização mundial da saúde – Conceitos, usos e perspectivas. *Revista Brasileira de Epidemiologia*, v. 8, 2005, p. 187-93.

FERRACINI, L. G. *A formação em psicologia no contexto hospitalar – Estudo de um curso de pós-graduação lato sensu por intermédio do psicodrama*. Dissertação (mestrado) – Universidade Federal de São Paulo, São Paulo, 2015.

FONSECA FILHO, J. S. *Psicodrama da loucura – Correlações entre Buber e Moreno*. 7. ed. São Paulo: Ágora, 2008.

FRANCO, M. L. P. B. *Análise de conteúdo*. Brasília: Liber, 2012.

GARRIDO MARTIN, E. *Psicologia do encontro – J. L. Moreno*. São Paulo: Ágora, 1978.

KIELHOFNER, G. *A model of human occupation – Theory and application*. Filadélfia: Lippincott Williams & Wilkins, 2002.

MALAQUIAS, M. C. "Teoria dos grupos e sociatria". In: NERY, M. P.; CONCEIÇÃO, M. I. G. (orgs.). *Intervenções grupais – O psicodrama e seus métodos*. São Paulo: Ágora, 2012, p. 17-36.

MENEGAZZO, C. M. *et al. Dicionário de psicodrama e sociodrama*. São Paulo: Ágora, 1995.

MORENO, J. L. *Psicoterapia de grupo e psicodrama*. Campinas: Psy, 1993.

_____. *Psicodrama – Terapia de ação & princípios da prática*. São Paulo: Daimon, 2006.

MORIN, E. *Os setes saberes necessários à educação do futuro*. São Paulo: Cortez, 2011.

NERY, M. P. "Sociodrama". In: NERY, M. P.; CONCEIÇÃO, M. I. G. (orgs.). *Intervenções grupais – O psicodrama e seus métodos*. São Paulo: Ágora, 2012, p. 95-124.

NERY, M. P.; MARRA, M. M. "Inclusão social e sociodrama". In: MARRA, M. M.; FLEURY, H. J. (orgs.). *Sociodrama – Um método, diferentes procedimentos*. São Paulo: Ágora, 2010, p. 181-200.

PERAZZO, S. *Psicodrama – O forro e o avesso*. São Paulo: Ágora, 2010.

PIO ABREU, J. L. P. *O modelo do psicodrama moreniano*. 2. ed. Lisboa: Climepsi, 2006.

PONTES, R. L. P. F. *Recortes do psicodrama e do pensamento complexo contribuindo para o desenvolvimento da relação professor-aluno*. Dissertação (mestrado) – Centro Universitário Nove de Julho, São Paulo, 2006.

RAMOS, M. E. C. "O agir interventivo e a pesquisa-ação". In: MARRA, M. M.; FLEURY, H. J. (orgs.). *Grupos – Intervenção socioeducativa e métodos sociopsicodramáticos*. São Paulo: Ágora, 2008, p. 45-55.

ROMAÑA, M. A. *Psicodrama pedagógico*. 2. ed. Campinas: Papirus, 1987.

_____. *Construção coletiva do conhecimento através do psicodrama*. Campinas: Papirus, 1992.

_____. *Pedagogia do drama*. São Paulo: Casa do Psicólogo, 2004.

_____. Sociedade de controle e pedagogia psicodramática. *Revista Brasileira de Psicodrama*, São Paulo, v. 20, n. 1, 2012, p. 57-70.

ROMANO, C. T. Tempo para se relacionar – Átomo social e a saúde física e mental. *Revista Brasileira de Psicodrama*, v. 19, n. 1, 2011, p. 123-34.

STERNBERG, P.; GARCIA, A. *Sociodrama – Who's in your shoes?* 2. ed. Westport: Praeger, 2000.

TORRES, S. "Programa de intervenção em grupo para grávidas toxicodependentes". In: GUERRA, M. P.; LIMA, L. (orgs.). *Intervenção psicológica em grupos em contextos de saúde*. Lisboa: Climepsi, 2005. p. 121-154.

ZEDRON, C. C.; SEMINOTTI, N. A. Papéis sociais femininos e as conservas culturais em relação ao dinheiro – Cartografia de uma oficina temática de psicodrama. *Revista Brasileira de Psicodrama*, v. 19, n. 1, 2011, p. 103-13.

13. Pedagogia psicodramática – uma experiência com pesquisa em educação

Alcione Ribeiro Dias
Sônia da Cunha Urt

Do chão da escola à pesquisa científica

A proposta pedagógica criada por Maria Alicia Romaña foi construída ao longo de mais de meio século de trabalho. Com suas raízes no chão de escola, a pedagogia psicodramática, nome atribuído em 2004 pela própria autora, iniciou-se com a aplicação experimental de recursos psicodramáticos na prática escolar e educacional na década de 1960. Romaña trabalhou com dramatizações de situações vividas, de temores e apreensões de alunos e professores e com exercícios de construção de objetos simbólicos atrelados a conteúdos programáticos, sentimentos e aspectos da realidade. Essas experiências foram compartilhadas no IV Congresso Internacional de Psicodrama, ocorrido na Argentina em 1969, o qual contou com a presença de J. L. Moreno. O reconhecimento do valor educativo dos princípios e elementos constitutivos do psicodrama está presente em todo o itinerário da pedagogia psicodramática (Romaña, 2019).

No final dos anos 1960, Romaña passou a trabalhar também em São Paulo com grupos de educadores – da pré-escola à universidade –, quando constituiu o método educacional psicodramático. Esse avanço se deu em função da significativa conexão feita por Romaña entre as possibilidades de realização dramática – real, simbólica e imaginária – com os conteúdos programáticos e os níveis de compreensão lógica: nível conceitual analítico, nível conceitual sintético e nível conceitual de generalização. De 1970 a 1986, Romaña aplicou, refletiu e aprimorou recursos, técnicas e procedimentos do psicodrama pedagógico na Argentina e no Brasil, onde veio a residir em 1976. O curso de Psicodrama ministrado por ela naquela época, para a capacitação de educadores, era composto por atividades de sensibilização corporal, *role-playing* para estruturação de papéis e trabalhos com conteúdo de conhecimento na sala de aula, o que possibilitou a consolidação do psicodrama pedagógico em variados meios educativos (Romaña, 2019).

Na metade dos anos 1980, no papel de psicóloga em uma empresa, procurei fundamentos e recursos técnicos para trabalhar as relações entre líderes e empregados, as interações com clientes, as questões conflituosas pessoais e profissionais presentes nas relações de trabalho. Recorri às variadas correntes da psicologia buscando respostas para as necessidades instaladas no âmbito das relações contraditórias daquele momento – no qual conviviam repressão, ditadura, criação e coletivização. Dentre os amparos teórico-metodológicos que se colocavam disponíveis naquela oportunidade, optei pela socionomia de J. L. Moreno (1889-1974), abordagem com a qual passei a trabalhar desde então no campo da educação corporativa – com supervisão, estudos e posterior formação específica. A perspectiva de Moreno transpunha algumas das minhas referências organizacionais naquela época. Uma delas dizia respeito a métodos de ação, com os quais eu já trabalhava: encontrei uma aproximação entre Moreno e John Dewey (1859-1952) – que em 1948 chegou a integrar o conselho consultivo do Instituto de Sociometria dirigido por Moreno em Nova York. Outro autor de destaque no mundo das empresas que estava em minhas referências era Kurt Lewin (1890-1947). Receptivo à abordagem sociométrica de Moreno, ele utilizou, em seus estudos sobre motivação do trabalhador e desenvolvimento de liderança, os métodos de *role-playing* e sociodrama, além de outras técnicas de ação morenianas. A socionomia trazia uma abrangência teórica e metodológica, pelo caráter dialético de seus métodos de pesquisa e intervenção (Guimarães, 2020; J. D. Moreno, 2016; Moreno, 2020).

Trabalhando desde 1985 na educação corporativa, fui me apropriando da socionomia e mais tarde da pedagogia psicodramática. A transição dos anos 1980 para a década de 1990 foi conturbada. Os ideais de uma educação emancipatória, da socialização do saber, depararam com a maximização da produtividade e o aumento da competição do contexto neoliberal. O tecnicismo tomou conta do cenário e as práticas organizacionais, incluindo as socionômicas, foram utilizadas indiscriminadamente – resultando em produções desvirtuadas e muitas vezes alienadas e alienantes. Nesses anos, Romaña procurou dar mais consistência ao corpo teórico de sua proposta, somando aos fundamentos socionômicos de Moreno alguns aspectos do universo de Paulo Freire – como práxis, ética no papel do educador e evolução da consciência – e algumas proposições de L. S. Vigotski – o sistema simbólico, a mediação, a síntese, o pensamento e a fala e, em especial, a compreensão do ser humano como sujeito histórico. Ao renomear sua proposta de pedagogia do drama, Romaña estava reforçando suas bases ideológicas, ampliando objetivos e propostas técnicas, insistindo na aproximação da situação de ensino--aprendizagem à realidade social (Dias, 2021; Romaña, 2019).

No limiar de sua trajetória, Romaña valoriza o caráter pedagógico de sua proposta, reconhece os variados repertórios didáticos que desenvolveu por meio dos métodos de ação morenianos, na linguagem dramática e dialógica que a socionomia possibilita, e consolida sua obra com a denominação pedagogia psicodramática. Romaña (2019) afirma ser a pedagogia psicodramática um método que se diferencia dos tradicionais, tanto na proposição de ações educativas para responder a novas necessidades quanto para investigar conteúdos curriculares e situações vivenciadas.

Com base em nossa práxis no campo socioeducativo, percebemos que a pedagogia psicodramática, como estratégia de pesquisa e intervenção, favorece a compreensão dos complexos fenômenos sociais estudados e a apreensão da realidade subjetiva e interacional do ser humano. As pesquisas em ciências sociais, psicologia e educação enfrentam o desafio de tratar fenômenos humanos de características abrangentes e necessitam ser construídas em uma perspectiva complexa, que considere os sujeitos em desenvolvimento e em dado contexto. Assim, a busca de um método é tarefa importante na investigação, considerando que o pesquisador necessita de um modo de investigar pautado na dialética, de um modo de analisar que vá além da descrição e construa explicativas de análise e constatações que considerem a natureza histórica e social do sujeito e do objeto de pesquisa (Dias, 2021).

O relato que vamos apresentar a seguir, fruto de uma pesquisa de mestrado, pretende demonstrar a aplicabilidade da pedagogia psicodramática como metodologia de pesquisa em educação. A investigação teve por objeto de estudo o adoecimento docente no ensino superior. Vamos apresentar a estrutura da pesquisa e destacar sua última fase, que foi concebida como uma sessão sociodramática e considerou a aproximação entre os níveis de realização dramática (real-simbólico--imaginário) e as lógicas de compreensão (análise-síntese-generalização). As sessões sociodramáticas se dão na quarta fase da investigação e foram realizadas em modo virtual em função do estado de pandemia (Covid-19) vivenciado no país.

Veremos que a proposta metodológica proporcionou um espaço dialógico, no qual os docentes se tornaram sujeitos participantes e construtores de conhecimento do tema, e a pesquisa possibilitou a superação de algumas contradições vividas por esses educadores no processo de adoecimento. As análises realizadas indicam que a pedagogia psicodramática, como metodologia de pesquisa: 1) viabiliza ao pesquisador a operação no campo afetivo-cognitivo, considerando o contexto sócio-histórico dos participantes, enquanto se mantém capaz de observar, descrever e compreender o fenômeno social pesquisado, mantendo o foco no objetivo da investigação; e 2) favorece a compreensão dos complexos fenômenos sociais estudados e a apreensão da realidade subjetiva e interacional do ser humano.

A pedagogia psicodramática como estratégia de pesquisa

Realizamos a pesquisa sobre o adoecimento docente no ensino superior em uma universidade federal, tendo como foco de análise as relações entre desenvolvimento psíquico e adoecimento – na perspectiva de um psiquismo que, segundo a psicologia histórico-cultural (Vigotski) e a socionomia (Moreno), é constituído socialmente. Nosso intuito foi considerar a relação dialética entre condições objetivas e subjetivas como constitutivas do desenvolvimento psíquico humano e, portanto, promotoras tanto das formas de adoecimento quanto das formas de manutenção da saúde. Para o desenvolvimento da pesquisa, a estratégia metodológica foi composta por quatro fases (Quadro 1).

Quadro 1 – Estratégia da pesquisa

	Instrumentos	Dados/descrição	Focos de análise
1	Dados de afastamentos dos docentes (2005 a 2019)	Quantidade de afastamentos Volume: dias de afastamento Motivos dos afastamentos	Universal Historicidade
2	Questionários aplicados a docentes de ciências humanas e educação (19 docentes)	Visão do trabalho docente Correlações com o adoecimento Satisfação com a atividade Ações de enfrentamento	Particular Sentidos e significados Motivo gerador de sentido Motivo/estímulo
3	Entrevistas individuais (9 docentes)	Adoecimento: fatores de produção; sujeito e grupo social Enfrentamento: sujeito-ambiente.	Vivências singulares Ambiente Personalidade
4	Pesquisa em grupo e sessões sociodramáticas (3 grupos – 9 docentes)	Ressonâncias aos dados: expressões afetivas; reflexões cognitivas	Análise dos docentes Explicações grupais Consciência

Fonte: Dias (2021).

A primeira fase foi composta de um estudo descritivo, no qual sistematizamos dados de afastamentos dos docentes da universidade no período de 2005 a 2019, o que nos possibilitou conhecer o histórico de adoecimento nos últimos 15 anos. Na segunda fase, houve a aplicação de questionário em modalidade *online*, procedimento cujos objetivos foram: apreender a visão que o docente tem de seu trabalho e as possíveis correlações com saúde/adoecimento; identificar a satisfação dos professores com sua atividade docente e as ações propostas por eles para o enfrentamento do adoecimento. Realizamos uma terceira etapa exploratória, composta por nove entrevistas individuais, para colher mais elementos a respeito do universo do adoecimento docente, advindos da perspectiva singular de alguns sujeitos. Na quarta fase, constituímos encontros de pesquisa em pequenos grupos, nos quais

os docentes conheceram os dados produzidos nas etapas anteriores, expressaram-
-se afetivamente e construíram explicações e análises diante do cenário de saúde/
adoecimento – foram realizadas três sessões sociodramáticas, envolvendo nove
sujeitos (Dias, 2021).

Dificuldades trazidas pela pandemia de Covid-19, oficialmente declarada em
março de 2020, impossibilitaram que o trabalho de pesquisa fosse realizado pre-
sencialmente com os docentes; assim, reestruturamos a realização dos encontros
de pesquisa em grupo para o formato *online*. Convidamos os docentes para uma
única sessão *online*, com uma quantidade pequena de sujeitos, e esses encontros
de pesquisa foram dirigidos segundo os princípios metodológicos de uma sessão
sociodramática, especificamente estruturada com a pedagogia psicodramática.

Ao propor a fase da pesquisa em grupo, procuramos construir um "olhar complexo" com e por meio dos professores sobre o tema do adoecimento do docente
no ensino superior, rompendo com a dicotomia sujeito e objeto de pesquisa como
fenômenos autônomos e separados. O sujeito (professor do ensino superior) e o
objeto da pesquisa (o adoecimento docente/psiquismo humano) se produzem nas
relações cotidianas. Nesse sentido, a ética dialógica do método sociodramático
pode ser um caminho para avançarmos na qualidade do processo de constituição
da pesquisa. Com base nela, entendemos ser possível assumir o compromisso po-
lítico no percurso da investigação, pela participação dos sujeitos e pela construção
coletiva do conhecimento – referente ao adoecimento docente e ao psiquismo humano. Assim, o objetivo específico dessa etapa foi possibilitar a participação ativa
dos sujeitos (docentes) no processo de investigação, criando meios de apropriação
dos dados que estavam parcialmente organizados e espaço para as expressões dos
próprios docentes.

Sabendo que o potencial de mobilização de métodos ativos de pesquisa é alto,
optamos por trabalhar em unidade funcional, agregando um ego auxiliar – psicóloga, psicodramatista, conhecedora dos objetivos da pesquisa e do campo da educação – para o caso de necessidades dos participantes ou da pesquisadora na direção
da sessão sociodramática – fosse um suporte no processo da sessão propriamente
dita, aos protagonistas ou mesmo para eventual apoio no manejo das condições do
ambiente tecnológico.

A pesquisa em grupo, ocorrendo em formato de sessão sociodramática, cum-
priu as três etapas do método socionômico: o aquecimento, a dramatização e o
compartilhamento. O aquecimento é o momento do esforço no sentido do ato,
uma preparação para a ação propriamente dita.

Na primeira fase do aquecimento são realizadas atividades iniciadoras, cuja
finalidade é promover o estado de concentração e o nível de energia para a necessidade do momento – o aqui e agora –, a chegada para a pesquisa. De início fizemos

o acolhimento, demos as boas-vindas aos participantes e passamos à apresentação de telas que versavam sobre os fundamentos da pesquisa; tais telas agradeciam os professores e apresentavam o objetivo específico da sessão sociodramática; confirmavam o contrato de sigilo grupal, a gravação do encontro, o recebimento do termo de consentimento que foi enviado por *e-mail;* e esclareciam sobre o processo da sessão de pesquisa propriamente dita. Abrimos para esclarecimentos e fizemos a confirmação de assentimento dos participantes. Informamos ao grupo de docentes que faríamos paradas durante o processo para os comentários e que eles poderiam se manifestar a qualquer momento.

Na segunda fase do aquecimento, apresentamos os dados gerais de afastamento da universidade e os dados das patologias registradas. Com base em sinais fisiológicos e expressões verbais evidenciados de forma voluntária pelos participantes ou provocados pelo pesquisador, chegava-se ao conteúdo armazenado na memória que o participante necessitava expressar – temas protagônicos ou o tema da pesquisa. Nesse momento, fazíamos uma primeira parada programada, pedindo ao grupo que se manifestasse quanto a sentimentos e sensações diante dos dados apresentados e sobre o que mais lhes chamava a atenção ou despertava interesse. Retomávamos a apresentação dos dados obtidos com base nos questionários, relativos a visão sobre a atividade docente, fatores de adoecimento, satisfação com a atividade e formas de enfrentamento do adoecimento. Para finalizar esse ciclo de exposição dos dados, apresentamos telas com sínteses de vivências singulares de docentes adoecidos e não adoecidos, pedindo ao grupo que dialogasse sobre aquele conteúdo, ou seja, sobre o que foi expresso pelos professores na pesquisa e sobre as necessidades percebidas.

Os professores dialogavam, faziam descrições de memórias factuais, encadeamentos históricos, análises de contextos, de causas e efeitos. Assim, foram capazes de expressar seus pensamentos e afetos com base na própria perspectiva. O procedimento da sessão criou espaço para a livre manifestação dos professores no que se refere também às relações sociais com alunos, gestores e os pares – colegas docentes.

Demos, então, continuidade ao processo de pesquisa, iniciando a etapa de ação dramática, momento em que se dá tratamento específico ao tema da pesquisa, abrindo espaço para a expressão em atos e palavras do que está no campo mental – registrado com base na realidade vivida pelos participantes da pesquisa. A função dessa etapa é permitir a reconstituição dessa realidade, permitindo recriar o que está conservado culturalmente. Romaña (2019) esclarece que no cenário sociodramático podem acontecer ações que reproduzam a realidade dos participantes do grupo, ações que simbolizem o tema do grupo ou ainda o imaginário trazido em forma de atos ou falas. A autora explica que a variação dos níveis

Pedagogia psicodramática

de realização dramática permite maior possibilidade de expressão da complexidade humana.

Explicamos ao grupo que seria realizada uma leitura descritiva de quatro personagens-docentes. Depois das leituras, cada participante poderia assumir um desses personagens ou trazer algum outro inédito para depois, imaginariamente, irem para um local hipotético – um encontro em um "café" para conversar sobre a vida de docente e o adoecimento. Criávamos juntos um cenário, e a partir desse momento a ação acontecia de acordo com a sociodinâmica, com o movimento espontâneo do grupo. Acompanhamos a ação – na realidade imaginária[1], a assunção ou não de personagens, os diálogos do grupo –, fazendo interferências somente para manter o aquecimento e o foco ou a atenção no tema proposto. Para o momento de fechamento da cena, a direção assumia um personagem de docente adoecido, intervindo na cena com uma intencionalidade – solicitar que o grupo falasse com o "docente adoecido" a fim de sugerir formas de enfrentamento ao problema. Na etapa de ação dramática, tivemos expressões espontâneas do pensamento e dos afetos dos docentes. Moreno (1975) assevera que realidade e fantasia são funções que se movimentam no palco sociodramático – no campo da realidade suplementar. No espaço de pesquisa foram expressos reproduções, contradições, conflitos e acontecimentos dos participantes em linguagem falada, corporal e cênica, mesmo que em condições limitadas do espaço virtual.

Por fim, pedimos aos participantes que se despedissem de seus personagens e os convidamos a voltar para o "cenário da pesquisa" a fim de realizar o compartilhamento, que funciona como uma caixa de ressonância grupal. Nessa terceira etapa da sessão, os docentes se expressaram sobre o processo – como estavam, como se sentiram no encontro de pesquisa em grupo –, fizeram comentários sobre o que foi vivido no grupo, trouxeram argumentos, produzindo reflexões, análises, sínteses e generalizações. Eles socializaram conhecimento – em um processamento didático, que evidenciou a criação de saberes sobre o tema. No compartilhamento afetivo-cognitivo podemos conhecer as possibilidades de autoconsciência que a metodologia de pesquisa possibilita. Encerramos a sessão sociodramática com os agradecimentos, em clima afetuoso e com um valoroso conjunto de informações que subsidiaram a análise da pesquisa.

Sendo a sessão de pesquisa projetada com a pedagogia psicodramática, pudemos utilizar de forma integrada, nas ações com o grupo pesquisado, os níveis de realização dramática e os níveis de compreensão lógica. Essa correlação, proposta

---

1 Na socionomia e na pedagogia psicodramática, o recurso do palco do *como se*, presente no momento da ação dramática, é um instrumento metodológico, possibilitador da *realidade suplementar*, que permite aos participantes agirem para tratar os temas protagônicos propostos por quem dirige a sessão ou trazidos pelo grupo (Moreno, 1975; 2008).

· 177 ·

por Romaña (1985; 2019) no trabalho de aproximação da socionomia à pedagogia, compõe a estrutura da investigação, conforme veremos no Quadro 2.

Quadro 2 – Estrutura para procedimento da sessão sociodramática		
Etapas da sessão	Nível de ação e lógica de compreensão	Estrutura da pesquisa em grupo – adoecimento docente
Aquecimento inespecífico	Nível analítico/real	Contexto Dados estatísticos da pesquisa
Aquecimento específico	Nível sintético/simbólico	Dados de questionário e entrevistas – personagens
Ação dramática	Nível de generalização/imaginário	Dando voz aos personagens – o recado ao docente adoecido
Compartilhamento	Aspectos afetivo-cognitivos	Reflexões e ressonâncias

Fonte: Dias (2021).

Demos ênfase a cada um dos níveis, conforme as etapas do encontro: 1) as ressonâncias do grupo perante o estudo estatístico (real) sobre afastamentos por licença-saúde de docentes da universidade; 2) as reações perante os dados de questionários e entrevistas individuais, que, sintetizados, deram origem a personagens-professores (simbólico) adoecidos e não adoecidos; e 3) as reflexões e proposições trazidas nos diálogos, na cena dramatizada (imaginário) construída pelos sujeitos-participantes. A ideia foi proposta de tal forma que, na sessão sociodramática de pesquisa, os docentes tivessem a possibilidade de transitar pelos três níveis de realização dramática (real-simbólico-imaginário), tendo como possibilidade as três lógicas de compreensão: a análise, a síntese e a generalização.

Os conteúdos produzidos nas três sessões foram agregados à discussão dos dados da pesquisa. Os grupos traçaram uma análise da temática do adoecimento com base na apropriação dos dados de realidade. Tomando por referência o preconizado por Romaña (2019), a realização do real (dados e dados de entrevistas) permite ao grupo abordar o conteúdo (o adoecimento) pelo nível conceitual analítico.

A análise feita pelo grupo sobre a realidade do adoecimento passa pela vivência dos sujeitos, por suas memórias, sendo expressa em uma linguagem que abarca tanto aspectos afetivos quanto cognitivos – a exemplo de uma das sínteses de narrativas dos docentes:

Não tem ciência, não tem intervenção no mundo que não seja política. Nesse sentido, a percepção de governos menos comprometidos com as nossas pautas causa uma sensação de desesperança muito forte, frustração e descrença completas. As políticas educacionais voltadas para a formação estão alheias ao cenário de adoecimento, e tem o drama dos professores não concursados trabalhando na rede pública de ensino. Estamos formando gente para fazer isso, e não se consegue vislumbrar uma possibilidade de saída desse impasse. A situação é muito dramática e nos afeta bastante. As mudanças no governo fazem com que o docente viva em sobressaltos. A gente está diante de um processo de desumanização crescente, obviamente ligado ao sistema – ao qual a universidade atende. É impressionante como os marcadores temporais – os anos 2010, 2015 e 2017 – informam sobre essa influência das políticas, da gestão e das mudanças administrativas na Universidade no adoecimento. (Dias, 2021, p. 247)

Os docentes construíram sínteses acerca das relações sociais e da interferência destas no desenvolvimento do "simbólico" – no sentido de reflexo social, estado de adoecimento. A realização simbólica permite ao grupo percorrer um nível conceitual sintético – ou seja, elaborar sínteses sobre o conteúdo tratado. Ao identificar a relação com os pares, o grupo se vê:

A competição não faz sentido, não corresponde à expectativa do que viemos fazer na universidade; isso gera frustração grande e vai aumentando na medida dos ambientes externos. Competição entre pares chega a ser insano e é triste. Com os pares é tudo de um individualismo pesado. Isso é realmente um fator de adoecimento e vai perdendo o sentido com o tempo. Ao mesmo tempo, assusta dizer que essas relações com pares são totalmente uma coisa negativa e não aparecerem aspectos positivos. (Dias, 2021, p. 248).

E, ainda, trazem uma expressão sintética, conforme vemos em Dias (2021, p. 263): "Pior que adoecer é não falar disso, é não ter com quem falar sobre isso, sinceramente".

Na sessão sociodramática, os sujeitos conseguiram chegar ao nível de generalização, propondo realizações no "como se" – momento da cena dramática em que os docentes dialogam com personagens. Da lógica discursiva dos participantes destacamos algumas contradições vividas pelos docentes que, por meio das abstrações, abrem possibilidades de reconstrução de cenas, de como agir na realidade para enfrentar o adoecimento. Um exemplo de contradição geradora de crise acontece na percepção dos sistemas de avaliação: "Permitir que outros usem critérios arbitrários para valorar o que você faz? Ao seu trabalho não é o outro que dá valor – é você. O que significa ser produtivo?" (Dias, 2021, p. 252). Outro aspecto é a consciência do real no que concerne ao idealizado: "Ser uma pessoa que tem posição enfática, defender o que acredita com convicção ou não levar as coisas tão a sério, admitindo o princípio do erro, das críticas, dos limites, dadas as condições e a estrutura para fazer um trabalho que funcione melhor" (*ibidem*).

> Pensar nas consequências. O que [...] vai acontecer se eu não fizer... ou se só atingir a pontuação que eu preciso atingir e não passar disso? O que será que vai acontecer? Chega um momento em que a gente nem tem mais para onde ir. Não vale a pena, porque as coisas vão ficar aí e a gente adoece e morre. (Dias, 2021, p. 253)

Das reflexões sobre a metodologia utilizada na pesquisa, destacamos que ela favoreceu autoconsciência – a consciência como reflexo psíquico da realidade. A pesquisa gerou interesse nos participantes tanto no que se refere a questões sobre comitê de ética, liberação de dados pela universidade, preocupações com os critérios de análise quanto a formulações que gerariam a expansão da pesquisa, como o estudo dos dados por área de trabalho dos docentes e pelos sindicatos. Os dados sobre afastamento, os motivos e as patologias impactaram os docentes, que ao mesmo tempo se sentiram representados e com espaço de expressão – sentiram-se à vontade com o método e valorizados por ser escutados. Segundo o grupo, a integração com pares foi favorecida.

Podemos concluir que o campo de relações sociais estabelecido na pesquisa foi favorável à percepção do processo do adoecimento, expressão das contradições associadas ao fenômeno e à apresentação de novos significados – acompanhando o movimento dialético desejado pelo método. Os docentes comentaram alguns ganhos pessoais trazidos pelo processo da pesquisa: "Isso tudo nos fortalece, saber que a gente não está sozinho e que esses dados precisam ser publicados, evidenciados e fazem parte da nossa luta, da nossa resistência, do nosso desejo de continuar na docência" (Dias, 2021, p. 254).

Trabalhar com pedagogia psicodramática na estruturação de uma sessão de pesquisa nos permite, para além de observar e registrar fenômenos sociais, um modo específico de compreender e descrever os fenômenos pesquisados. As ações de pesquisa colocadas em curso nos níveis real (analítico), simbólico (sintético) e imaginário (generalização) favorecem a lógica de compreensão de pesquisados e pesquisador sobre o tema ou objeto de investigação em questão. Cria-se um espaço para reflexões mediadas, que permitem aos participantes da pesquisa transpor o pensamento efetivo para o pensamento figurativo e o pensamento abstrato ou lógico-discursivo. No momento da pesquisa em grupo, os pensamentos empíricos (geradores de conceitos espontâneos) e os pensamentos teóricos (geradores de conceitos científicos) produzem um conhecimento coletivo (Dias, 2021).

Esperamos contribuir para que trabalhos de pesquisa no campo da educação, além de trazer importantes descrições de dados, ampliem as argumentações e constatações fundadas no eixo teórico-metodológico. Um aspecto essencial no trabalho de pesquisa, do ponto de vista ético-político, é garantir o vínculo entre o método, as estratégias de investigação e suas bases teóricas e filosóficas.

Considerações finais

Um ponto de sustentação do vigor da pedagogia psicodramática está na abertura de Romaña a criteriosos aportes realizados na construção e atualização da pedagogia psicodramática, vindos de Moreno, Vigotski e Paulo Freire. Assim, destacamos que a pedagogia psicodramática é um modo de pensar a educação e uma proposta pedagógica particular que se diferencia dos métodos tradicionais de pesquisa.

Romaña (2019, p. 54) afirmou que, "dada a sua amplitude, a pedagogia psicodramática oferece a possibilidade de articular-se positivamente com outras teorias". Foi o que buscamos fazer no que se refere aos fundamentos teórico-metodológicos da pesquisa que realizamos: a aproximação entre a psicologia histórico-cultural e a socionomia, entendendo que os dois campos de conhecimento serão importantes para o entendimento sobre o desenvolvimento psíquico dos sujeitos – professores do ensino superior, tanto os que estão adoecendo quanto os que estão se mantendo saudáveis.

Pensadores com raízes em Espinosa e Hegel, Vigotski e Moreno nos apresentam um campo possível de diálogos teóricos e metodológicos. Os autores evidenciam aproximações em suas proposições sobre desenvolvimento humano – sobretudo no que se refere à compreensão da importante relação entre as evoluções filo e ontogenéticas e a concepção dialética que opera, para ambos, tanto na estrutura psíquica humana quanto no método de pesquisa. Vigotski e Moreno consideram que a relação dialética entre condições objetivas e subjetivas é promotora tanto do adoecimento quanto das formas de enfrentamento para a manutenção da saúde. Os autores enfatizam o papel do outro, as relações sociais, e têm como pressuposto da humanização a apropriação do que foi objetiva e historicamente criado pelo ser humano – o que em Moreno é denominado conserva cultural – e a ação criativa no universo – a ação do sujeito que transforma a própria realidade objetiva. Para ambos, a constituição psíquica humana se dá no processo social. Esse posicionamento expande o campo de interpretação sobre o adoecimento e as considerações sobre os transtornos mentais. Ao conhecermos a história desses dois pensadores, e o momento revolucionário em que trouxeram suas criativas propostas à humanidade, podemos vislumbrar que o impacto de suas ideias nos campos da educação, da psiquiatria e da psicologia ainda será sentido por muitos anos (Moreno, 2016; 1975; Paes, 2020; Vigotski, 2000).

Vygotski (1995) traz fundamentos, detalhes da estruturação psíquica socialmente constituída – esclarecimentos importantes à psicologia e à educação da atualidade. Na perspectiva da psicologia histórico-cultural, o psiquismo humano é histórico e cultural; assim, o desenvolvimento em termos da personalidade terá seus limites dados pelo avanço da sociedade. Moreno (2012, p. 33) procurou demonstrar, pela descoberta de "leis microscópicas que governam relações humanas, que o homem não é livre nem mesmo na própria casa e na sociedade que ele mesmo produziu". Ao falar do "futuro do si mesmo humano", esse autor afirma que o homem chegou ao ponto zero de sua significância. A ciência acumulada dá o veredito de que o universo pode caminhar sem o homem, que é produto e produtor do universo, e que o sonho humano de sobrevivência e superação depende de ele ser capaz de integrar todo o universo a si mesmo. Para Moreno, os grupos, por meio de suas linguagens particulares, expressam a síntese do universal e do singular – em uma estrutura grupal, temos a representação da sociedade: gênero, raça e classe social O caminho metodológico indicado por Moreno para a sobrevivência humana acontece por intermédio dos grupos – de sua força curativa – e pelo movimento dialético entre o se apropriar da conserva cultural, daquilo que está posto historicamente no ambiente, e o agir criativa e conscientemente (Moreno, 2012; Silva Filho, 2011).

Para Moreno (1992), toda ciência se reporta a um conjunto de fatos e às formas apropriadas de avaliá-los, buscando compreender as condições nas quais eles emergem. No caso das relações humanas, a questão complexa e inevitável é ser o investigador social também um ser humano em interação com seu objeto de investigação. Moreno (1992, p. 210) afirma que, "por causa do caráter dialético das relações humanas, todos os termos e instrumentos sociométricos têm caráter dialético".

Reafirmamos que optar pelo caminho da pedagogia psicodramática é uma decisão que não fica no plano da mera troca de tecnologia de pesquisa ou de intervenção – é, sim, mudar a natureza do processo, para o caminho de uma ciência mais aberta e de métodos que considerem a complexidade da dimensão humana.

Referências

DIAS, A. R. *Adoecimento docente no ensino superior na perspectiva da psicologia histórico--cultural*. Dissertação (mestrado) – Universidade Federal de Mato Grosso do Sul, Campo Grande, 2021.

GUIMARÃES, S. *Moreno, o mestre – Origem e desenvolvimento do psicodrama como método de mudança psicossocial*. São Paulo: Ágora, 2020.

MORENO, J. D. *Impromptu man – J. L. Moreno e as origens do psicodrama, da cultura do encontro e das redes sociais*. São Paulo: Febrap, 2016.

MORENO, J. L. *Psicodrama*. São Paulo: Cultrix, 1975.

_____. *Quem sobreviverá? Fundamentos da sociometria, psicoterapia de grupo e sociodrama.* v. 1. Goiânia: Dimensão, 1992.

_____. *Quem sobreviverá? Fundamentos da sociometria, psicoterapia de grupo e sociodrama.* Edição do estudante. São Paulo: Daimon, 2008.

_____. *O teatro da espontaneidade*. São Paulo: Summus, 2012.

PAES, P. C. D. *Vigotski – Fundamentos e práticas de ensino. Crítica às pedagogias dominantes.* Curitiba: Appris, 2020.

ROMAÑA, M. A. *Pedagogia psicodramática e educação consciente – Mapa de um acionar educativo.* Campo Grande: Entre Nós, 2019.

_____. *Psicodrama pedagógico*. Campinas: Papirus, 1985.

SILVA FILHO, L. A. *Doença mental – Um tratamento possível. Psicoterapia de grupo e psicodrama.* São Paulo: Ágora, 2011.

VIGOTSKI, L. S. Manuscrito de 1929: psicologia concreta do homem. *Educação e Sociedade*, v. 21, n. 71, 2000, p. 21-44.

VYGOTSKI, L. S. *Obras escogidas – Problemas del desarrollo de la psique.* v. 2. Madri: Visor, 1995.

14. A neurociência e o aprendizado com psicodrama

Marly Unello Rosinha

O entendimento do homem e de seus comportamentos, desde tempos imemoriais, tem tomado lugar na mente dos estudiosos de todas as épocas. Cada período desses estudos foi marcadamente determinado pelo nível tecnológico que aquela sociedade vivia. Assim, fatos que tinham explicações simplistas ou bizarras foram esclarecidos à luz de novos conhecimentos atuais.

Na época de Moreno, os saberes de como os processos orgânicos que permeavam os fenômenos de ensino/aprendizagem ainda engatinhavam, pois as tecnologias utilizadas necessitavam ser invasivas e as ciências sociais eram delimitadas por muitos dos paradigmas que ele mesmo se esmerou em contradizer. Em virtude disso, o que ocorria na maneira de ensinar mediada por Moreno era entendido muito mais pelo substrato psicológico.

Apesar disso, Moreno (1997) intuía um substrato neurológico/orgânico como subjacente aos processos mentais, embora as ciências biológicas ainda não estivessem suficientemente desenvolvidas para que as relações teóricas fossem de fato comprovadas e avançassem. Ainda assim, o orgânico tem lugar em vários pontos da obra moreniana, notadamente na relação entre a maturação dos aparatos fisiológicos do desenvolvimento do bebê humano.

Dessa forma, atualmente as fases de desenvolvimento da matriz de identidade são relacionadas com os níveis de maturação do sistema nervoso de maneira fácil e comprovada, pois muito se sabe sobre o amadurecimento gradual desse sistema e as capacidades crescentes que essa maturação produz.

Exames de alta tecnologia por imagem – tais como a ressonância magnética funcional e a tomografia computadorizada por emissão de pósitrons – favorecem a observação do funcionamento do cérebro em tempo real quando alguém executa uma função determinada que permite elencar as áreas e mapear os circuitos neurais envolvidos nas ações de ler, recordar, perceber etc. (Kandel *et al.*, 2014).

Se nos detivermos apenas nos recortes pedagógicos do psicodrama, as relações com a neurociência moderna tornam-se ainda mais próximas. O interesse e os estudos profundos da pedagogia conduzidos por Maria Alicia Romaña nas décadas de 1960/1970 abriram espaço para uma visão mais centrada no conhecimento dos processos do aprender por meio das ideias morenianas.

Mais modernamente, por conta dos avanços nas técnicas de imagens e na observação dos fenômenos neurais já citados, o resultado desses brilhantes pesquisadores revelou-se mais globalmente com a possibilidade de localizar neuroanatomicamente os fenômenos descritos por eles.

Neste capítulo serão traçados paralelos entre o que se sabe hoje sobre aprendizagem da ótica do conhecimento do sistema nervoso e a metodologia psicodramática de Romaña para aproximar os universos de conhecimento dessas áreas diversas, porém complementares. Assim, a neurociência será relacionada aos fenômenos produzidos pelo recorte psicodramático com o objetivo de completar os dados que faltam para compreender melhor as causas desse sucesso obtido com o uso da metodologia de Romaña.

A neurociência explica o aprendizado como consequência da construção de redes neurais que são formadas por meio de demandas do meio onde o indivíduo se encontra (Kandel *et al.*, 2014). O cérebro é plástico e constrói-se de momento a momento a fim de adaptar o indivíduo às melhores respostas provocadas pelos estímulos do ambiente. Aprende-se fazendo e estruturando as redes de neurônios para a instalação desse novo fazer (Carlson, 2002). Nesse ponto já se consegue relacionar o processo orgânico ao psicodrama. Aprender é fazer.

O saber se forma na ação como obra de construção da consciência; o fazer se torna método de apropriação da realidade e compreensão do meio relacional. As etapas de maturação do cérebro exigem que a criança atue em seu meio e, com isso, aprenda. Esse aprendizado também compreende o desenvolvimento de um cérebro social, pois somos primatas e, por conseguinte, necessitamos da relação com o outro para o crescimento saudável. As estruturas envolvidas no reconhecimento do outro, e mais tarde do grupo, ampliam-se para contemplar as fases de desenvolvimento da matriz de identidade proposta por Moreno (1997).

A maturação de áreas cerebrais específicas confere habilidades psicológicas e aprendizados globalizantes realizados na relação com o outro. A partir da etapa de indiferenciação, na qual organicamente o bebê percebe a mãe como continuidade sua, o aparato sensorial inicia o desenvolvimento e a especialização de receptores. Esses receptores dispararão sinais elétricos para os neurônios, que se estruturarão em redes de reconhecimento cada vez mais sofisticadas (Kandel *et al.*, 2014).

O resultado disso é a produção inicial do reconhecimento do eu pelo bebê e as fases subsequentes do amadurecimento de sua matriz de identidade (Moreno, 1994). Colabora para o processo o amadurecimento de áreas motoras que permitirão melhor precisão na execução de tarefas e na sofisticação dos movimentos e do equilíbrio.

Pedagogia psicodramática

Porém, o que mais se desenvolve durante a vida dos seres humanos é a cognição, que depende do amadurecimento e da estimulação de várias áreas corticais que se comunicam e se modificam de acordo com as experiências do meio. Maria Alicia Romaña desenvolveu o método educacional psicodramático (MEP) baseando-se nas premissas do psicodrama de Moreno, extraindo da teoria as bases que permitem o desenvolvimento global da criatividade e da espontaneidade (Moreno, 1997). A neurofisiologia dessas sequências de fazeres explica o estabelecimento de pontes entre as áreas de associação que permitem a produção de redes neurais cada vez mais fortes que levarão ao desenvolvimento cognitivo, afetivo e relacional (Dalgalarrondo, 2011).

A primeira fase do método é a dramatização do real, que compreende organicamente a apropriação sensorial do dado a ser aprendido pelo aluno e o registro nas áreas sensoriais primárias do córtex cerebral. A fase da dramatização simbólica é compreendida como a utilização das áreas de associação cortical nas quais o dado poderá ser interpretado com o auxílio de várias outras redes neurais acessórias (Kandel *et al.*, 2014). Na fase da dramatização no plano da fantasia, além das áreas sensoriais primárias e secundárias, o córtex pré-frontal e os *pools* de memória distribuídos pelo córtex serão acionados e o real aprendizado poderá ser registrado. As analogias são o que há de mais nobre e confiável em um método de ensino, uma vez que ativam o hipocampo na construção de memórias de longa duração (Romaña, 1987).

A força do grupo que o psicodrama prega também pode ser referendada pelas explicações neurocientíficas, pois somos animais grupais e temos um elaborado cérebro social que nos capacita a aprender com os outros. Nosso cérebro conta com neurônios-espelho na área de integração visual F5 que disparam potenciais elétricos pelo simples fato de se observar alguma atividade motora de outro indivíduo; sua função é compreender o que o outro faz e inclusive quais são as intenções desse fazer (Kandel *et al.*, 2014).

O docente que aplica o psicodrama deve ter também uma visão psicodramática do mundo que o cerca. Não se faz psicodrama só por uma hora ou duas; o psicodrama se vive. Assim, a relação professor-aluno precisa ser vivenciada também de forma horizontal, abandonando-se a hierarquia e o pseudorrespeito que a acompanha. O professor e os alunos são companheiros na construção do conhecimento que se faz no "momento" fecundo que o psicodrama oferece. Rever-se como pessoa e como profissional é necessário para que se redimensione o papel de professor que apenas norteia e não impõe o saber.

· 187 ·

Desenvolvimento da experiência prática

Minha prática pedagógica sempre se deu no ensino de disciplinas da área básica da saúde. Trabalhei com psicodrama em várias disciplinas diferentes, como Fisiologia Humana, Neurofisiologia, Neurodesenvolvimento, Genética do Comportamento e Psicofarmacologia. Entendo que todas as disciplinas de qualquer área do conhecimento podem ser trabalhadas com auxílio do MEP, pois a aplicabilidade é simples e exige um mínimo de adaptação aos grupos que se recebem em sala de aula. A diferença está nas competências exigidas por cada curso, que traz, via de regra, pessoas que se encaixam nessas características. É interessante notar que há diferenças importantes entre alunos de um curso de Fisioterapia e de outro de Psicologia; por isso, a utilização do *role-playing* do papel profissional também foi útil na adaptação dos conteúdos aos perfis dos alunos dos diferentes cursos.

Vou tomar por base a aplicação na docência da disciplina Neurofisiologia para o curso de Psicologia. Para seguir o método de Romaña, iniciava-se a aula com o aquecimento inespecífico, retomando conceitos fundantes anteriores ao conteúdo que se ia apresentar e revendo os pontos teóricos daquele assunto. Isso porque não se ensina nada novo com esse método, porém se criam pontes entre o ouvido/visto e as estruturas cerebrais de gatilho de memória. Sabe-se que a memória é mais facilmente consolidada no hipocampo por meio de analogias e repetições (Kandel *et al.*, 2014).

O aquecimento específico era realizado ouvindo dos alunos as perguntas e o levantamento dos pontos menos compreendidos pelo grupo durante a explicação inicial do assunto. Assim era sugerida a dramatização com a montagem da cena pela plateia.

Quem se sentisse mais aquecido tomava posse do papel e se posicionava no cenário psicodramático disposto no centro da sala. De início, montava-se uma cena estática. Os alunos escolhiam livremente seus papéis e a plateia recebia a apresentação sensorial primária daquele assunto.

Após os aquecimentos, tinha início a representação do real, com a montagem dos cenários e seus personagens. Pedia-se então que os personagens executassem as funções/ações dos elementos que tinham escolhido representar, e estava concluída a representação simbólica. No cérebro, a ativação das áreas de associação e o córtex pré-frontal ofereciam vastas possibilidades de raciocínio.

A seguir, permitia-se que os papéis fossem trocados e também que os alunos da plateia trocassem de lugar com seus companheiros de turma no espaço psicodramático. Após esse exercício, colocava-se uma dificuldade para simular uma patologia ou uma facilidade para simular uma adaptação. Os alunos criavam livremente na dramatização no nível da fantasia. Ao se colocar um dado novo, instiga-

-se a expressão da espontaneidade e da criatividade dos alunos e do grupo como um todo. Todo o córtex cerebral é solicitado para essa tarefa, e muito da expressão límbica aparece, podendo ser avaliada de acordo com a gama de emoções que permeia o grupo.

Para consolidar a memória, permitiam-se quantas repetições fossem pedidas pelos alunos dentro do tempo da aula. A cada novo aluno no papel, maior era a possibilidade de expansão do raciocínio e de exploração do conteúdo. Ao final, no compartilhamento, as dúvidas eram respondidas por todos do grupo e o professor só falava ao final de cada conclusão tirada pela sala, o que também servia para uma rápida avaliação desta.

Assim, de acordo com as etapas da metodologia psicodramática de Romaña, observa-se que há um primeiro passo, de aproximação intuitiva e afetiva, quando os alunos montam a imagem real do conceito apresentado. No segundo passo, ocorre a aproximação racional ou conceitual, quando simbolicamente o conjunto grupal é colocado para funcionar. O terceiro momento é a aproximação funcional, com a decorrente dramatização da fantasia, quando os alunos têm a liberdade de criar e movimentar o conceito de variadas formas (Romaña, 1992).

A seguir um exemplo mais explícito de aplicação da MEP em uma sala do curso de Psicologia, segundo semestre, na disciplina de Neurociência. O tema da aula era "sinapse".

- *Aquecimento inespecífico:* retomou-se o conceito de neurônio, suas partes e a produção de neurotransmissores.
- *Aquecimento específico:* a sinapse foi apresentada como a comunicação entre neurônios, e suas etapas foram estudadas desde a chegada do estímulo até a liberação dos neurotransmissores e a produção de respostas no neurônio-alvo.
- *Dramatização:*
  » Primeiro passo: aproximação intuitiva/afetiva – dramatização do real. Os alunos foram convidados a tomar seus lugares no espaço dramático. Um se tornou neurônio, outro neurotransmissor etc. A cena foi montada, de início, com uma imagem estática. Nessa fase, utiliza-se comumente a técnica do solilóquio para dar voz a uma ou outra estrutura anatômica.
  » Segundo passo: aproximação racional ou conceitual – dramatização simbólica. O conjunto foi colocado em ação, e ora o neurotransmissor produzia estimulação do neurônio-alvo, ora produzia inibição. Vários alunos trocaram de papéis e/ou outros colegas inverteram suas posições na sala para participar. Utilizam-se com frequência as técnicas de duplo e espelho quando se procura reforçar se o conceito ou a relação fisiológica foi bem concebida naquele momento de dramatização.

» Terceiro passo: aproximação funcional – dramatização no nível da fantasia. A pedido do professor, um aluno era destacado do grupo na plateia e era--lhe dada a consigna de representar uma droga estimulante agindo naquela sinapse. Isso obrigava os alunos que a estruturavam no cenário a responder espontaneamente, criando situações e ações. Interpolar resistências costuma ser útil para romper a estabilidade e levar o grupo ao raciocínio e à resposta criativa.

Algumas outras intervenções no modelo montado originalmente foram propostas pelos alunos da plateia e até mesmo por aqueles que participavam da cena dramática, até que o tempo previsto para a ação dramática se esgotou.

Reservaram-se alguns minutos para o compartilhamento. Nessa etapa, foi possível comprovar que o fenômeno tinha sido compreendido pelo grupo e surgiram diversas oportunidades de completar as lacunas que alguns alunos haviam pontuado como dúvidas.

Desse modo, a aula, nesse contexto, é concebida como sessão de psicodrama com o objetivo primeiro de difundir e desenvolver o conhecimento. Por esse motivo, são utilizadas todas as técnicas dramáticas possíveis para melhorar a explicitação da matéria. As técnicas de solilóquio, duplo, inversão de papéis e interpolação de resistência também são aplicadas com sucesso – ainda que nem todas ao mesmo tempo.

Como cita Romaña (1987), estão presentes nesse momento os três elementos psicodramáticos – grupo, jogo e teatro – que, explorados em aula, permitem a administração de muito mais que somente conteúdo. Durante os comentários, a proximidade do grupo aumenta. É possível determinar alguns papéis grupais importantes, como o líder do amor, que resvala em carinho, e o líder do ódio, que elenca as dificuldades relacionais, permitindo-se a leitura sociométrica daquele grupo com muita facilidade. Pode não ser o objetivo primeiro da técnica, porém sem dúvida é um acréscimo ao conhecimento relacional dos alunos daquela sala e do professor e de suas dificuldades e facilitações.

Uma parte significativa do tempo de aprendizado na escola diz respeito à avaliação do que foi aprendido. Avaliar é parte do processo de aprendizagem e significa um *feedback* em dupla direção. A avaliação permite ao professor entender o que houve na comunicação pedagógica naquela sala com os alunos. Utilizar o MEP como base para instrumentalizar a avaliação rompe com o estigma do nervosismo na hora da prova, que se cristaliza nos alunos desde a mais tenra idade. Percebe-se que o relaxamento do campo tenso ocasionado pelo psicodrama favorece a expressão dos alunos, a exploração de suas memórias e o conhecimento do conteúdo da matéria.

Descrevo a seguir modelos de aulas utilizados para a revisão da matéria na aula anterior à prova por meio de jogos dramáticos e outros elementos teórico-práticos psicodramáticos. A experiência mostra uma maneira real e palpável de mensurar os efeitos da MEP no ensino e a fecundidade do psicodrama como teoria norteadora dos fazeres na educação. As notas das provas, se necessário, podem depor a favor do que foi afirmado neste capítulo.

Aula de revisão da matéria com MEP

Modelo 1: aplicação prática do MEP

No aquecimento inespecífico, explicou-se o objetivo da revisão e elencou-se o conteúdo. No aquecimento específico, solicitou-se que a sala se dividisse em grupos espontâneos, e o cálculo do número de grupos e de componentes foi feito com base no número total de alunos presentes. A rede sociométrica sempre foi respeitada, pois contribui para o bom desenvolvimento de um campo relaxado e a percepção de segurança, ajudando a evanescer pontos de tensão (Yozo, 1996).

O aquecimento específico variava dependendo da modalidade de técnica ou jogo dramático utilizado.

A cada grupo era dada uma consigna escrita em um pedaço de papel e solicitado que revisasse o conteúdo referente àquela palavra em cinco minutos. Após esse tempo, o diretor pedia que um dos grupos viesse ao espaço dramático e criasse uma imagem do que foi estudado (aproximação intuitivo-emotiva) e depois desse o movimento necessário para a função daquela parte (aproximação racional ou conceitual). Em seguida, adicionava-se um complicador funcional, e o grupo teria de resolver de forma criativa de que forma a estrutura ou território orgânico se equilibrava ou adoecia (aproximação funcional). Os demais grupos que compunham a plateia eram convidados a fazer perguntas no final e a revisão do tópico se encerrava, passando-se ao grupo seguinte.

Modelo 2: jornal vivo

O aquecimento inespecífico foi realizado da mesma forma descrita no Modelo 1. Já o aquecimento específico resultou na divisão da sala em grupos com uma variável determinada (time de futebol, cor do sapato, modelo de mochila etc.). Cada grupo recebeu artigos científicos (como em um jornal) relacionados a pesquisas sobre determinado assunto estudado em sala e teve 20 minutos para elaborar uma dramatização nos moldes de um jornal vivo (Monteiro, 1993). Os grupos escolheram os assuntos livremente. Não há problema na repetição dos temas, pois grupos diferentes resultarão em expressões diferentes do artigo estudado.

Cada grupo se apresentou no espaço dramático e as dúvidas foram tiradas ao mesmo tempo que apareciam e eram elencadas pelos alunos.

Modelo 3

O aquecimento inespecífico é realizado da mesma maneira descrita para os outros modelos anteriores. O aquecimento específico é feito solicitando-se aos alunos que escrevam em um pedaço de papel o nome da região ou estrutura do sistema nervoso que lhes traz mais dúvidas quanto à função ou neuroquímica. Em seguida, esses papéis são dobrados e colocados em uma caixa. Um papel é sorteado e pede-se à sala que alguém inicie a montagem de uma cena que localize a parte em questão em um contexto anatômico.

Caso não haja protagonista espontâneo, o professor-diretor deve aquecer o grupo por mais um tempo, fazendo pequenas recordações do conteúdo. Em geral, a resposta de presença é rápida, e não houve uma ocasião sequer em que falhasse o chamamento para o espaço psicodramático. O protagonista escolhe os colegas que deseja trazer ao cenário e a imagem é montada. Em seguida, sugere-se que a estrutura seja colocada para funcionar, e muitas vezes componentes da plateia se associam espontaneamente ao espaço psicodramático. As dúvidas podem ser levantadas a qualquer momento, sendo indicado que algum aluno as responda. Se há tempo, várias cenas são montadas com base na consigna dos papéis da caixa. A fase de compartilhamento inicia-se com os comentários da sala e o arremate das dúvidas pelo professor.

Será necessário também registrar as experiências que os alunos envolvidos nesses processos relataram seguidamente, posto que psicodrama é relação. Em 42 anos de docência, permito-me elencar os efeitos do ensino por meio do psicodrama, dividindo as respostas em cinco categorias tomando por base quanto foi fácil ou não vivenciar uma aula desse tipo e o que essa experiência trouxe de efeitos mais duradouros ao papel de aluno.

Sim, porque o professor que aplica o MEP é quase sempre oriundo de uma escola de psicodrama e está preparado para o impacto que essa modalidade didática causa em uma aula. A maioria dos alunos, nos estágios iniciais nos quais trabalhei, jamais ouvira falar em psicodrama, o que permite julgar os efeitos de forma mais clara e visível. Essa divisão em categorias que apresento foi inicialmente construída para as salas do curso de Psicologia, podendo ser utilizada, com pequenos ajustes, para observar os efeitos do MEP no aprendizado de alunos de outros cursos da área da Saúde, como Fisioterapia, Enfermagem, Farmácia e Biologia.

Alunos do tipo 1: aprovadores totais

Esse grupo se maravilha com a novidade e anseia, sempre que é questionado, por mais aulas com essa metodologia. Encaram as alterações de forma completamente natural e não têm dificuldade em participar, correndo ao espaço dramático sempre que a cena é montada e permanecendo aquecidos por todo o tempo de duração da aula. São pessoas extrovertidas (ou que se tornam no decorrer do tempo), que melhoram consideravelmente suas notas e aprendem com facilidade, criando sempre e cada vez mais. Muitos deles procuram cursos de formação em Psicodrama e dedicam-se a conhecer mais a fundo as bases teóricas utilizadas.

Alunos do tipo 2: aprovadores parciais

Esse grupo não tem dificuldade em se aquecer e participar, porém não parece incorporar significativamente o MEP quanto ao aprendizado formal. Ou então prefere compor a plateia e interagir dentro de um espaço afastado de segurança, sem a exposição no espaço dramático. Aprova a didática ativa, porém parece se beneficiar do *happening* que o momento traz, como uma festa ou fuga dos problemas externos à sala de aula. As notas não sofrem muitas alterações, e as dificuldades de aprendizado parecem persistir por um tempo maior que o esperado. Penso que, se aquecidos por mais tempo, poderiam render mais ou até mesmo fazer parte do Grupo 1. Digo isso porque alguns deles buscam mais informações sobre psicodrama ao graduar-se e muitos são atualmente psicodramatistas clínicos.

Alunos do tipo 3: reprovadores

Esse grupo permanece como plateia o tempo todo e não parece entender como a aula ou o aprendizado decorrem daquele movimento todo. Percebe-se que está cristalizado nos modelos antigos hierárquicos e sem vontade de romper as barreiras internas impostas pelo modelo didático tradicional. Nos comentários, revelam-se inadequados para esse tipo de didática ativa e relatam que necessitam estudar de maneira mais tradicional. Penso que a cristalização dos paradigmas educacionais é muito forte nesse grupo, que necessitaria de um trabalho mais delicado e exclusivo, coisa impossível nos moldes das aulas modernas do ensino superior. Ainda assim, o MEP traz um resgate importante para alguns deles, que poderiam ser reclassificados no Grupo 2 em um semestre futuro e revelar que acrescentaram muito de expressão e espontaneidade em seus comportamentos fora da sala de aula.

Para finalizar, é necessário avaliar o impacto do psicodrama na produção de novos saberes em sala de aula. Os alunos chegam relaxados e ansiosos por saber o que realmente vai acontecer naquela aula em particular. Como o psicodrama é construído no presente da ação, nem mesmo o professor sabe realmente como a aula vai se desenvolver, e pode ser que seu planejamento precise ser rearranjado. Isso é bom por um lado, dado que a espontaneidade e a criatividade são elementos desejados e buscados pelo psicodrama, mas por outro lado fica restrito a um tipo especial de professor que se permite dilatar as fronteiras da didática mais tradicional.

A neurociência mostra que determinado grau de estresse (eustresse) é positivo para a realização de tarefas, pois a liberação de hormônios estimuladores pode favorecer as escolhas e atitudes adequadas para o momento (Carlson, 2002). Porém, o estresse cronificado só traz danos e impede a expressão espontânea dos indivíduos. Dessa forma, o campo relaxado produzido pelas vivências das aulas com psicodrama estimula os alunos a já virem para a sala de aula mais capacitados a responder, aquecidos para a ação que será exigida naquele dia. O campo relaxado se opõe veementemente ao campo tenso que o grupo traz das noções de como é uma aula no ensino superior.

Não importa mais se a aula é presencial ou *online*, porque em essência a dinâmica é a mesma. Todos os passos do MEP podem ser seguidos onde quer que professor e alunos estejam, o que acrescenta valor e importância ao ensino/aprendizado mediado pelo psicodrama. De acordo com estudos da fisiologia neural, a criação de novas sinapses pela propriedade de plasticidade permite ampliar as redes de neurônios envolvidos nos processos mentais e reforça os circuitos que ligam as áreas emocionais às áreas de processamento cognitivo.

REFERÊNCIAS

CARLSON, N. R. *Fisiologia do comportamento*. 7. ed. Barueri: Manole, 2002.

DALGALARRONDO, P. *Evolução do cérebro – Sistema nervoso, psicologia e psicopatologia*. Porto Alegre: Artmed, 2011.

KANDEL, E. R. *et al*. *Princípios de neurociência*. 5. ed. Porto Alegre: AMGH, 2014.

MONTEIRO, R. F. (org.) *Técnicas fundamentais do psicodrama*. São Paulo: Brasiliense, 1993.

MORENO, J. L. *Quem sobreviverá*. v. I a III. Goiânia: Dimensão, 1994.

_____. *Psicodrama*. 12. ed. São Paulo: Cultrix, 1997.

ROMAÑA, M. A. *Psicodrama pedagógico*. 2. ed. São Paulo: Papirus, 1987.

_____. *Construção coletiva do conhecimento através do psicodrama*. 2. ed. São Paulo: Papirus, 1992.

YOZO, R. Y. *100 jogos para grupos – Uma abordagem psicodramática para empresas, escolas e clínicas*. São Paulo: Ágora, 1996.

Autoras e autores

Alcione Ribeiro Dias

Mestre em Educação pela Universidade Federal de Mato Grosso do Sul (UFMS). Psicodramatista didata supervisora pela Federação Brasileira de Psicodrama (Febrap). Psicóloga pela Fundação Mineira de Educação e Cultura (Fumec). Especialista em Psicologia Organizacional e do Trabalho e consultora do campo organizacional e socioeducacional desde 1985. Vice-presidente da Associação Entre Nós (MS), coordenadora pedagógica da Escola de Psicodrama Entre Nós e professora de Pedagogia Psicodramática e Metodologias Socionômicas. Coautora de livros e artigos sobre educação e psicodrama. Traduziu o último livro de Maria Alicia Romaña: *Pedagogia psicodramática e educação consciente*.

Camila Tyrrell Tavares

Filha de uma psicóloga e de um astrofísico, mistura cheia de temperos que resultou em alegria pela vida, curiosidade, gosto pela ciência e amor pelo ser humano. Farmacêutica bioquímica (Universidade Paulista – Unip) por formação, psicodramatista didata (Associação Brasileira de Psicodrama e Sociodrama – ABPS) por paixão, educadora e atriz de teatro por amor, é graduanda em Psicologia (Unip). Atua como facilitadora de grupos desde 2003 em ações de desenvolvimento humano e aprendizagem, com base na socionomia de Jacob Levy Moreno, na andragogia e na neurociência. Atualmente, está à frente do DC Grupo de Teatro Espontâneo, que se dedica ao estudo da modalidade teatro debate no formato proposto por Moysés Aguiar.

Cristiane Tavares Romano

Psicóloga, psicodramatista pela Sociedade Paulistana de Psicodrama (Sovap) e psicodramatista didata pela Associação Brasileira de Psicodrama e Sociodrama (ABPS), diretora de ensino da ABPS (gestões 2018-2019/2020-2021), com pós-graduação em Terapia de Casal e Família pela Pontifícia Universidade Católica de São Paulo (PUC-SP). Tem formações complementares em Terapia Cognitivo- -Comportamental pelo Centro de Estudos em Terapia Cognitivo-Comportamental (CETCC),

Terapia Cognitiva Narrativa & Focada na Compaixão pelo Instituto de Psiquiatria da Faculdade de Medicina da Universidade de São Paulo (IPq-HCFMUSP), Filosofia Oriental pela Sociedade Brasileira de Filosofia e Psicologia Oriental, facilitadora e didata em meditação na área da saúde pela Universidade Federal de São Paulo (Unifesp) e formação em Neuropsicologia pelo CETCC.

Cristina Jorge Dias
Psicóloga e mestre em Psicologia pela Universidade São Marcos (Unimarco). Psicodramatista didata supervisora pela Associação Brasileira de Psicodrama e Sociodrama (ABPS) e professora universitária. Ministra treinamento e oficinas pedagógicas em metodologias ativas e atende deficientes visuais. Autora dos livros *Compartilhar jogos e vivências* (Expressão e Arte, 2007) e *Jogos pedagógicos e histórias de vida – Promovendo a resiliência* (Loyola, 2013).

Elisabeth L. Bez Chleba
Psicóloga pós-graduada em Recursos Humanos e com MBA em Gestão de Tecnologia Ambiental. É psicodramatista didata supervisora socioeducacional e diretora financeira da Associação Brasileira de Psicodrama e Sociodrama (ABPS) (gestão 2019-2022). Colaborou por três anos em projetos sociais com jovens e participou dos projetos de educação ambiental Corpo d'Água (Umapaz/Parque do Ibirapuera e Centro de Cultura Judaica) e A Terra (Museu Catavento), em São Paulo.

Gisele da Silva Baraldi
Psicóloga pela Universidade Presbiteriana Mackenzie. Psicodramatista didata supervisora pela Associação Brasileira de Psicodrama e Sociodrama (ABPS). Mestre e doutora em Distúrbios do Desenvolvimento pela Universidade Presbiteriana Mackenzie. Neuropsicóloga pela Faculdade de Ciências Médicas da Santa Casa de São Paulo. Atua como psicoterapeuta e neuropsicóloga de adultos e crianças, e também é professora e supervisora no Curso de Formação em Psicodrama da ABPS.

Julio Cesar Valentim
Psicólogo pela Universidade Metodista de São Paulo. Psicodramatista supervisor com foco psicoterápico pela Associação Brasileira de Psicodrama e Sociodrama (ABPS). Pós-graduado em Administração de Recursos Humanos pela Universidade Metodista e em Neurociências e Comportamento pela Pontifícia Universidade Católica do Rio Grande do Sul (PUC-RS). Membro da diretoria da ABPS como suplente na gestão 2021-2022. Diretor geral da Oficina de Talentos RH, consultoria especializada na identificação e no desenvolvimento de pro-

fissionais. Psicoterapeuta em consultório particular no atendimento a adultos, individual e em grupo.

Lúcio G. Ferracini
Psicólogo especialista em Psicologia da Saúde/Hospitalar; psicodramatista didata supervisor com formação em Cuidados Paliativos; mestre em Ensino de Ciências da Saúde pela Universidade Federal de São Paulo (Unifesp). Professor supervisor e presidente da Associação Brasileira de Psicodrama e Sociodrama (ABPS) nas gestões 2019-2020 e 2021-2022. Psicoterapeuta em consultório particular; docente do curso de Psicologia do Centro Universitário FMU. Coautor dos livros *Psicodrama e relações raciais – Diálogos e reflexões* (Ágora, 2020) e *Viagens virtuais psicodramáticas – A travessia da Sociedade de Psicodrama de São Paulo* (Ágora, 2022). Áreas de interesse: luto, arte, fenomenologia, existencialismo e psicodrama.

Maisa Helena Altarugio
Formada em Química e doutora em Educação pela Universidade de São Paulo (USP). Docente, formadora de professores e pesquisadora na Universidade Federal do ABC (UFABC). Psicodramatista didata e docente do curso de formação da Associação Brasileira de Psicodrama e Sociodrama (ABPS) com foco socioeducacional. Ganhadora do prêmio Febrap 2020.

Maria Aparecida Fernandes Martin
Psicóloga, mestra e doutora em Distúrbios do Desenvolvimento pela Universidade Presbiteriana Mackenzie. Psicodramatista didata supervisora pela Associação Brasileira de Psicodrama e Sociodrama (ABPS). Professora e supervisora do curso de Psicologia da Universidade Presbiteriana Mackenzie. Professora, supervisora e diretora de ensino da ABPS. Membro do Laboratório de Estudos da Violência e Vulnerabilidade (Mackenzie-SP). Foi membro do Comitê de Ética em Pesquisa do Instituto Jô Clemente (Apae de São Paulo). Coautora do livro *Masp 1970 – O psicodrama* (Ágora, 2010). Atua principalmente nos temas grupos, vulnerabilidade social, clínica psicológica, desenvolvimento infantil, formação em saúde, psicodrama e sociodrama.

Marly Unello Rosinha
Bióloga pela Universidade de Mogi das Cruzes (UMC). Mestre em Semiótica e Técnicas Educacionais pelo Centro Universitário Braz Cubas (UBC). Mestre em Biologia Funcional e Molecular pela Universidade Estadual de Campinas (Unicamp). Psicodramatista Socioeducacional pela Associação Brasileira de Psicodrama e Sociodrama (ABPS).

Neide Feijó

Enfermeira, mestre em Enfermagem Psiquiátrica e doutora pela Universidade de São Paulo (USP); pós-doutora em Saúde Mental pela Faculdade de Medicina da Universidade do Porto; sociodramatista e didata pela Associação Brasileira de Psicodrama e Sociodrama (ABPS); sociodidata pela Sociedade Portuguesa de Psicodrama; professora coordenadora na Escola Superior de Saúde Jean Piaget VNG (Portugal).

Norival Albergaria Cepeda

Psicólogo, psicodramatista didata supervisor pela Associação Brasileira de Psicodrama e Sociodrama (ABPS). Ator profissional pelo Teatro Escola Macunaíma. Coautor do Livro *Masp 1970 – O psicodrama* (Ágora, 2010).

Sara de Sousa

Terapeuta ocupacional pela Escola Superior de Saúde do Instituto Politécnico do Porto (ESS-IPP); mestre em Psiquiatria e Saúde Mental pela Faculdade de Medicina da Universidade do Porto; doutora em Psicologia pela Faculdade de Psicologia e Ciências da Educação da Universidade do Porto (FPCEUP); diretora de sociodrama e sociodidata pela Sociedade Portuguesa de Psicodrama; terapeuta ocupacional no serviço de Psiquiatria do Centro Hospitalar Universitário de São João; professora-adjunta na Escola Superior de Saúde do Politécnico do Porto (ESS-IPP); pesquisadora do Laboratório de Reabilitação Psicossocial da ESS-IPP e da FPCEUP; pós-graduada em Gestão e Direção de Unidades de Saúde pela Porto Executive Academy do Instituto Politécnico do Porto.

Sônia da Cunha Urt

Graduada em Psicologia, Pedagogia e Administração de Empresas. Pós-doutora pela Universidade Estadual de Campinas (Unicamp), pela Universidade de Alcalá de Henares (Espanha) e pela Universidade de Lisboa (Portugal). Doutora em Educação (Unicamp) e mestre em Educação pela Pontifícia Universidade Católica de São Paulo (PUC-SP). Psicodramatista pela Federação Brasileira de Psicodrama (Febrap). Professora titular aposentada da Universidade Federal de Mato Grosso do Sul (UFMS). Pesquisadora sênior dos programas de pós-graduação em Educação e em Psicologia da UFMS. Coordenadora do grupo de Estudos e Pesquisa em Educação e Psicologia da mesma instituição. Atua em ensino, extensão e pesquisa, e suas publicações se concentram na área de educação e interfaces com a psicologia.